今日から
モノ知り
シリーズ

トコトンやさしい

# 物流の本 第2版

物流は、現代社会のなかで大きな役割を担っています。ネット通販やフードデリバリーなど、より身近に物流を感じることも増えてきました。こうした物流の裏側には、効率化を図るための工夫が隠されています。

鈴木邦成

B&Tブックス
日刊工業新聞社

# はじめに

「物流」が担う役割は、近年、ますます重要になっています。企業活動のなかで、企画や営業、生産などはイメージしやすいのですが、「物流というと、どのようなイメージを思い浮かべればよいか難しい」という声も多く聞かれます。

それにもかかわらず、「物流とは何ですか」と問われても、なかなかうまく答えられないようです。

そこで本書では、まず第1章で私たちの身近な日常生活のなかで、これまでは「縁の下の力持ち」といわれてきた物流が現代ビジネスの中核的な存在となり、実際どのような役割を担っているのか、そのしくみとプロセスをわかりやすく説明していきます。ネット通販（EC）で購入した商品が届くのも、コンビニエンスストアやスーパーに毎日きちんと商品が並んでいるのも、物流のおかげなのです。みなさんが当たり前だと思って簡単に手に入れているさまざまな商品やサービスの裏側には、かならず物流におけるきめ細かい工夫があるのです。

第2章では、物流の歴史と今、そしてこれからについて説明していきます。モノを運ぶ、あるいはモノを保管するといった物流の基本的なしくみは、ローマ時代にも江戸時代にも存在しました。それがいかに効率を求めて進化し、現代の物流につながっていったのかを実感できると思います。物流の歴史は「いかにモノを効率的に運んでいくか」という工夫の歴史ともいえるのです。

第3章では、世の中の変化に合わせて、現代物流がさらにどのような工夫や対応を求められているのかを、「グローバル化」「ネット通販」といった時勢を表すキーワードに沿って解説していきます。

第4章では、さまざまな業界における物流面での課題や解決策などをくわしく見ていきます。食品業界やアパレル業界などで、どうして物流が重要とされるのかがしっかりとわかってくるはずです。

第5章では、物流の機能やしくみの基本についてわかりやすく説明しました。輸送や保管、あるいはトラックや倉庫などが物流においてどのような役割を担っているのかを解説しています。

第6章では、現代物流についての考え方をビジネストレンドをふまえたうえで解説しています。「在庫を徹底的に削減する」「物流コストを効率的に下げる」「リードタイムをきちんと守る」といった基本的な物流の考え方を、最新の考え方や実務知識を踏まえながら、初めて物流に触れる人にもわかりやすく説明しました。

それぞれの項目は通勤、通学の際にも簡単に目を通せるように見開き2ページにまとめ、内容を視覚的にフォローするために図表、イラストも豊富に用いています。

なお、本書は2015年3月に発行された『トコトンやさしい物流の本』の第2版です。初版の発売から7年以上が経ったことを受け、第2版では内容を大幅に入れ替え、物流を取り巻く最新の動きも網羅しました。基本の基本から話を始めています。専門的な予備知識がなくとも、物流について正しく理解できるように努め、「日本で一番わかりやすい物流の本」となるように解説することを心がけました。

本書を通して物流のしくみを理解することで、読者のみなさんのさまざまな可能性がさらに広がることを祈ってやみません。

2022年10月

鈴木　邦成

トコトンやさしい

# 物流の本

第2版

目次

目次

CONTENTS

## 第1章 私たちの生活に欠かせない物流



## 第2章 物流の歴史は「工夫の歴史」

第3章 社会環境の変化で物流も変わる

## 第4章 さまざまな業界の物流のしくみ

## 第5章 押さえておきたい物流の基本としくみ



## 第6章 高度化する現代物流の潮流を把握

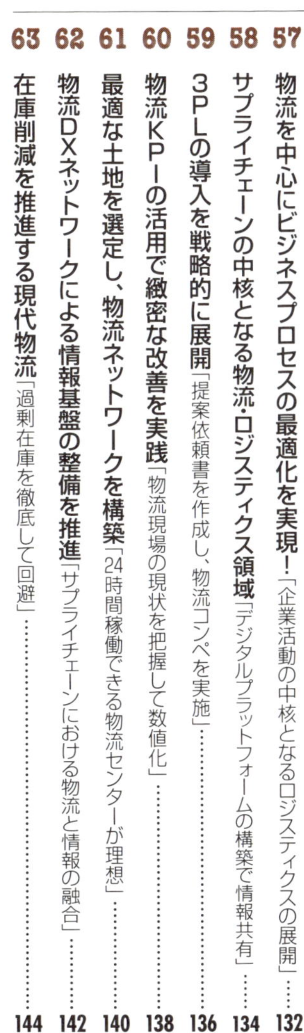

# 第1章

# 私たちの生活に欠かせない物流

# 1 物流は現代経営を左右する重要な産業に！

## 最強のビジネスモデルとなった「物流」

インターネットの高度化でビジネスモデルが大きく変わりつつあるなか、物流の重要性はますます高まっています。ネット通販（EC）が日々の生活に欠かせない存在となっても、AI（人工知能）が導入されて、非対面型の店舗が増えてきても、世の中から物流がなくなることはありません。それどころか、物流部門や物流戦略を充実させる企業は増加の傾向にあります。

企業の経営にとっても、ビジネスモデルにとっても、「物流部門をいかに設計、構築、運営していくか」ということがきわめて重要になってきているのです。

それではなぜ、物流がこれほどまでに注目されるようになったのでしょうか。長い間、物流は生産したり、販売したりするための準備過程という認識でした。「運んだり、保管したりすることに付加価値は見い出せない」と考える人が多かったともいえます。

しかし、ネット通販（EC）市場、フードデリバリー市場などの拡大や相次ぐ大型物流センターの建設、さらには企業物流の高度化やIT化、デジタル化の進展などを受け、「物流が企業経営を左右する」という時代が到来しました。アマゾンドットコム、楽天グループなどはネット通販向けに大型物流センターを増設していますし、ヤマト運輸、佐川急便、日本郵便などは宅配便、ゆうパックの市場を拡大しています。また日本通運、日立物流なども企業物流における存在感を強めています。現代企業経営は物流を軸としなければ高度化、効率化を遂げられない時代に突入したともいえるでしょう。

「モノの流れを戦略的に管理し、必要なモノを必要なタイミングで、必要な量だけ運ぶ」ことを多くの企業が重視し始めているのです。物流を企業戦略の中軸に据えることで、他社との差別化や競争優位の確立が可能になるのです。言い換えれば、物流を軽視したり、十分に理解していなければ、いかに生産や販売を充実させても生き残れないわけです。

**要点BOX**

- ●社会インフラとして不可欠な宅配便
- ●インターネットの速度に合わせた物流網の構築
- ●物流により他社との差別化や競争優位を確立

## 重要性を増す物流の役割

物流の重要性

「たんにモノを運ぶだけ」から
「戦略的にモノの流れを効率化させる」
という発想に発展

| フードデリバリー市場の拡大 | 宅配便などの消費者物流市場の拡大 | ネット通販による巨大物流施設の建設 | 企業のＩＴ化、デジタル化の推進 |
|---|---|---|---|
| ウーバーイーツ、出前館など | ヤマト運輸、佐川急便、日本郵便など | アマゾン、楽天市場、ZOZOTOWNなど | トヨタグループ、イオングループなど多数 |

物流で差別化や競争優位が確立される時代となってきているのね!

物流はいまや、企業経営の中心となる花形部門となっているんだよ

# 2 物流がなければ経済はストップする！

## 危機管理体制の強化が大きな課題

物流は東日本大震災、コロナ禍、ロシアのウクライナ侵攻など、自然災害やパンデミック（世界流行感染病）、国際紛争や戦争などの有事が発生した際にも、真っ先に心配されます。「物流が寸断されずに機能しているのか」「サプライチェーンが途絶していないか」ということに大きな注目が集まります。

言い換えれば、物流はそれだけ社会的に関心度が高いのです。しかも、大規模な災害などでは、二次災害、三次災害のリスクを常に背負いながら、復旧・復興作業と物流ネットワークの迅速な再構築や復旧を進める必要もあります。災害時における物流の混乱や分断によるダメージを、最小限に抑えなければなりません。

実際、コロナ禍ではマスク、ワクチン、医薬品などで供給・物流のネットワークの見直し、再構築も行われました。国内外での輸配送体制の整備など、迅速かつ高度な対応が求められました。

さらにウクライナ侵攻などでも、間接的な影響としてグローバルサプライチェーンが停滞し、国際物流コストが高騰しました。経済制裁などでコンテナ船などの国際輸送ルートが変われば、物流コストのみならず、調達コストや供給リードタイム、さらには輸入品の小売価格も変わってくるのです。店頭での品不足や物価上昇にも影響は及びます。

このように自然環境、社会環境の大きな変化はそのまま、物流、ひいては私たちの生活に影響を及ぼしてくるのです。言い換えれば、物流は社会環境や私たちの生活の変化にそれほどまでに大きく関わっているのです。

したがって、いかなる変化や変動のなかでも「物流を止めない」という視点からの対応が求められます。考えられるリスクについてシミュレーションを行い、強靭（きょうじん）な物流を目指す姿勢が望まれます。経済活動を停滞させないためにも物流の充実が不可欠となります。

**要点BOX**
- ●パンデミックや大型自然災害への対応が課題
- ●有事におけるサプライチェーンの途絶を回避
- ●強靭な物流を目指す姿勢を重視

## 止めない物流の直面する困難

**自然環境・社会環境に関わる大きな変化など**

物流を止めないことがポイントになってくる

| 地球環境の変化<br>大地震・津波 | パンデミック<br>新型感染症<br>などの流行 | 経済制裁<br>国際紛争・戦争 | 被災地・戦地<br>などの<br>復旧・復興 |
|---|---|---|---|

**物流への甚大な影響物流・サプライチェーンの途絶回避対策の必要性**

自然や社会の変化と物流の関係を常に考えておく必要があるのだ

# 3 物流とはモノの流れ、商流とは取引の流れ

## 流通とは物流と商流を合わせた概念

物流とよく似た言葉に流通があります。物流と流通はどのように違うのでしょうか。

生産、流通、消費を「経済の3大領域」といいます。生産した製品を市場（マーケット）に運ぶことが流通ですが、流通はさらに細かく物流（物的流通）と商流（商的流通）に分けることができるのです。

たとえば書店で書籍を購入する場合、本棚から書籍を取出しレジまで持って行っても、その段階では書籍は自分のものにはなりません。書籍の所有権を自分に移すにはレジでお金を払わなければならないからです。すなわち書店の本棚からレジに書籍を持っていく際に物理的な移動のほかに所有権の移転もあわせて行う必要があるのです。この所有権を移す行為が「商流」になります。

所有権の移転は「取引の流れ」と言い換えてもよいでしょう。ただし書籍をレジに持って行くのとお金を払うのを同時に行うので、流通のなかにモノの流れと所有権の流れが存在することに一般の人はなかなか気がつきません。

他方、ネット書店で書籍を購入するケースを考えてみましょう。購入したい書籍を買い物かごに入れてクリックすると、その段階で書籍の所有権は購入者に移ります。ただし、実際の書籍は物流センターから別途、配送されます。所有権の流れとモノの流れが別々になっているのです。

ちなみに前者を「商物（商流と物流）一致」、後者を「商物分離」と呼んでいます。従来型のシステムでは商流と物流は同一の道筋にありましたが、ネット通販などに代表される現代ビジネスでは商流と物流が異なるケースが増えてきているわけです。

さらにいえば、現代経営で物流が重視されているのは、商物分離の影響を受けている面があるからです。商物分離というトレンドで物流の重要性がこれまで以上に高まっているわけです。

**要点BOX**

- ●「生産」と「消費」の橋渡しをする「流通」
- ●「物流」と「商流」で構成される「流通」
- ●商物一致と商物分離で変わる物流戦略

## 実店舗における所有権とモノの流れ

流通
- 商流：取引（所有権）の流れ
- 物流：モノの流れ

金銭の支払い：所有権の移動

商品の受け渡し：モノの流れ

## ネット通販における所有権の移動とモノの流れ

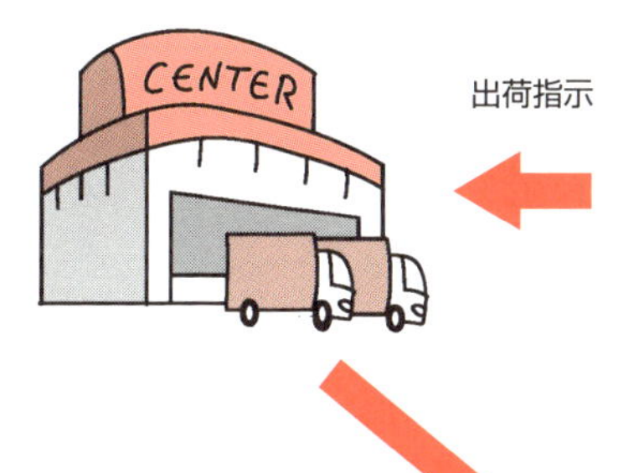


出荷指示

クレジットカードなど
での決済：
所有権の移動

商品の配送：モノの流れ

# 4 ネット通販市場の拡大で重要度が増す物流サービス

## ネット通販事業の成長に合わせた物流規模を想定

近年、小売流通におけるネット通販の重要性は高まるばかりです。ネット通販企業の生命線ともいえる重要な役割を担っているのが物流です。

ネット通販を利用すれば、消費者は自分の好きな時間に商品を購入できます。しかし、商品が迅速に届かなければ、そのサイトのリピーターとはならないかもしれません。商品を注文した消費者が顧客満足を感じるためには、しっかりした物流サービスが不可欠となるのです。

さらにいえば、商品の到着が遅れた場合、実店舗で同一の商品を見つければ、ネットで注文した商品をキャンセルして、実店舗でそのまま購入してしまうかもしれません。「すぐに必要な商品」だからネット通販で購入しようとしたのに、その商品の到着が遅れれば、実店舗で購入するほうが手っ取り早くなってしまうのです。言い換えれば、ネット通販サイトの運営には、「インターネットのスピードに合わせた迅速な配送」が必要になるのです。したがって、ネット通販企業は物流センター運営からラストワンマイルと呼ばれる世帯への配送まで、綿密な物流ネットワークを構築しておく必要があります。

もちろん、小規模ならば自社スタッフでできるでしょうが、規模が大きくなると物流企業に業務をアウトソーシング（外部委託）することも考えなければなりません。

たとえば、アパレル通販サイトにおいて、1万円のスカートで月間1億円の売上高を上げるには、1万回の出荷作業を繰り返すことになります。そしてこれだけの作業をこなすには出荷・梱包の専門のスタッフが必要になってくるのです。

もちろん、それ以上の規模となれば、さらに多くのスタッフ、スペース、在庫が必要になってきます。ネット通販企業がさらなる成長を遂げるためには物流サービスの充実が不可欠となるのです。

- ●顧客満足を実現するタイムリーな配送
- ●必要な時に必要な商品を供給
- ●インターネットの速度に合わせた出荷作業を展開

## インターネットの速度に合わせた物流サービスの実践

ネット通販市場の拡大

インターネットの高速性に
合わせた物流サービス

綿密な物流ネットワークの
構築と運営

タイムリーな
ラストワンマイル配送

大量の出荷・配送
迅速かつ正確な対応

大量の出荷や配送を
一度にこなす必要がある

# 5 工場のモノの流れを効率化

## 工場内で行われる一連の物流プロセス

工場と物流も密接な関係があります。

資材や部品などを外部から調達している工場の生産ラインでは、供給元（サプライヤー）などから工場に資材や部品が運ばれてきます。

工場の視点から見ると、生産計画に基づいて資材や部品を調達しなければなりません。工場の担当者は部品メーカーなどの供給元に必要な部品などを発注します。その出荷指示を受けて、部品メーカーなどは自社の倉庫などに保管されている部品などを納期内に工場に納入することになります。

工場に納入される部品などは工場側の入荷検品を受け、アイテム、個数などに間違いがないことを確認したうえで検収します。そして検収された部品などは工場の倉庫に保管されたり、すぐに生産ラインに持ち込まれたりします。

ちなみにここまでのサプライヤーから組立工場までの部品などのモノの流れを「調達物流」といいます。

資材、部品などの調達にあたって、必要なモノを必要なだけムダ、ムリ、ムラなく届けるという効率的な物流システムの構築が求められています。

さらに生産ラインに持ち込まれた部品などについて組立作業などを行うことで半製品、あるいは完成品ができあがります。これらを格納・保管し、物流センターや顧客からの出荷依頼があれば迅速に製品の出荷業務に取り掛からなければなりません。

こうした一連のプロセスが工場で行われる物流工程（生産物流）となりますが、さらに必要に応じて、入荷や出荷に際しての検品、製品の箱詰め、梱包などの作業も行うことになります。加えて、物流センターや営業所、店舗などからの返品に対してもしっかりと対応する必要があります。もちろん、工場においてこうした物流工程を怠れば、モノの流れは中断してしまうことになります。物流を適切に行うことで、工場のオペレーションも円滑化するのです。

**要点BOX**
- ●生産計画に基づくサプライヤーからの供給
- ●ムダ、ムリ、ムラのない物流システム
- ●出荷指示、納期指示を順守

## 調達から販売までの一連の情報管理

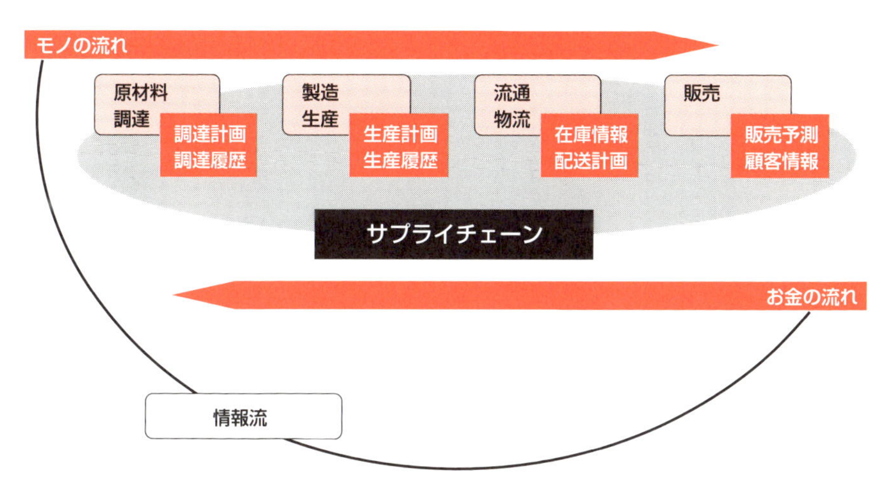


## サプライヤーから工場への納入

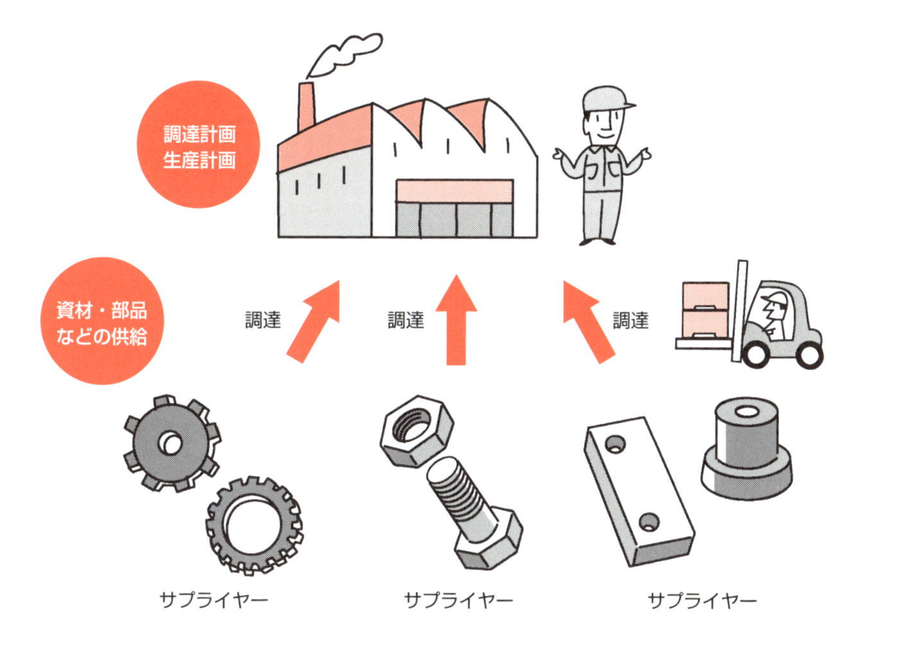

# 6 ますます身近になる宅配便

## ネット通販市場の拡大にも対応

身近な物流というと、なんといっても宅配便ということになるかもしれません。ネット通販はもちろん、中元や歳暮、贈答品などでも宅配便は頻繁に使われています。

ちなみに宅配便を始めたのはヤマト運輸でした。また「宅急便」とは、ヤマト運輸が行っている宅配便サービスの商標です。

宅配便が始まったのは1970年代のことでした。まずヤマト運輸がビジネスモデル化し、ついで1980年代には多くの物流企業が宅配便事業に参入し、熾烈な競争を繰り広げました。

草創期の宅配便事業は「宅配便動物戦争」といわれました。なぜ動物戦争というかというと、ヤマト運輸のクロネコをはじめ、西濃運輸のカンガルー、日本通運のペリカン（すでに撤退）、トナミ運輸のパンサーなど、動物にちなんだ商標をつけることが多かったからです。

宅配便はその後もゴルフ向け、スキー向けの配送便を設けたり、時間指定を充実させたりすることで私たちの生活になくてはならない重要な存在となりました。全国のコンビニや宅配便会社の営業所などに消費者などが荷物を持ち込み、伝票を記入して配送の手続きをとれば、現在では翌日には日本全国に荷物が届くほどの充実ぶりです。

コンビニなどから集荷された宅配便の荷物は営業所に持ち込まれ、方面先別に仕分けされ、目的地の配送エリアにある営業所や宅配便センターなどに運ばれたのち、セールスドライバーが各家庭やオフィスなどに荷物を届けるのです。

ただし、都市部では共働き世帯が増えていることもあり、日中に配達しても不在であることが多くなっています。また、人手不足によるトラックドライバーの確保も切実な問題となっています。

そのため、いかに不在時の荷物を段取りよく再配達するかが、大きな課題ともなっています。

**要点BOX**
- ●ネット通販市場の拡大で取扱量が増加
- ●日本全国の配送ネットワークを充実
- ●共働き世帯の増加による不在対策を検討

## 宅配便の発達

### 宅配便の誕生以前

郵便小包(ゆうパックへと発達)

鉄道小荷物、託送手荷物
＊旅客列車に連結された荷物車を使用した小荷物の輸送サービス

### 宅配便の登場

1970年代　宅配便のビジネスモデルが登場

取扱個数は年々増加!

店舗数を増やす
　コンビニでの発送受付
ネット通販の拡大
などが追い風になる

### 課題

物流クライシス⇒ドライバー不足

不在世帯への再配達

# 7 物流ネットワークの骨格を形成するトラック輸送

深刻なトラックドライバー不足への対応が課題

貨物輸送にトラックが採用されたのは明治末期といわれています。しかし、実際にトラック輸送が貨物輸送の花形となったのは第二次世界大戦後のことです。現在、多くの企業の物流システムはトラック輸送を前提に構築され、トラック運送事業者の数は6万社以上に達しています。

ただし、その多くが中小事業者であり、これまでは過当競争気味でした。そのため運賃は低下し、経営的に窮地に追い込まれる中小企業も増えてしまいました。また、多くの経営者も交代する時期に来ており、トラック運送の特性を理解した経営者が大きく減少することも予測されます。

さらに近年のトラック運送業界は、ドライバー不足という深刻な問題を抱えています。「若者のクルマ離れ」などがマスコミで取り上げられることも少なくありませんが、トラックドライバーについても若者の志願者が減少しているのです。このまま放置すれば、日本の物流網が麻痺してしまうことになりかねません。そこで業界ではトラックドライバー職が若者に敬遠される要因の1つでもある長距離輸送について、ドライバーを短い距離で交代させていく中継輸送を対策として奨励しています。さらに労働条件の改善に乗り出すことで、若者にとってドライバー職を魅力あるものにするよう努めています。

その反面、ネット通販市場の拡大などでトラック運送のニーズは拡大の一途をたどっています。トラック輸送は面的な輸送に柔軟に対応できるという利点を持っています。そのため、物流拠点や店舗などへのアクセス性にも優れています。宅配便などのドア・ツー・ドアの輸配送にも欠かせません。

なお、地球環境にやさしい輸送を実現するという視点から鉄道輸送、海上輸送の評価も高まっています。トラック輸送に鉄道輸送や海上輸送を組み合わせたモーダルシフト輸送（複合一貫輸送）を推進するのです。

**要点BOX**
- ●鉄道輸送、海上輸送とのリンクでモーダルシフト輸送を実現
- ●労働負荷の軽減を図る中継輸送の活用

## 物流業界におけるトラック輸送の位置付け

物流業界

物流に関する
規制緩和の流れが加速する

貨物輸送の 90%はトラック輸送

トラック運送事業者数は
約 6 万 3000 社

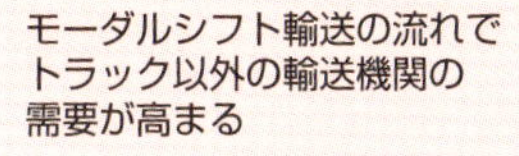

モーダルシフト輸送の流れで
トラック以外の輸送機関の
需要が高まる

## トラックドライバー不足への対応

少子高齢化
3K 職業の敬遠
若者の「自動車離れ」

トラックドライバー不足

**〈対策〉**

- ●モーダルシフト輸送によるトラック以外の輸送機関の活用
- ●中継輸送の導入によるトラックドライバー分業化
- ●女性・高齢者ドライバーなどの活用
- ●トラックドライバーの職場改善、労働条件改善
- ●自動・無人運転技術の開発・実用化

# 8 状況に合わせて輸送手段を選択

## トラック、船舶、航空機などの適性を分析

物流の運び手として活躍するのはトラックだけではありません。飛行機、船、鉄道もまた貨物輸送の大きな担い手です。

鉄道はトラックが戦後、モータリゼーションの中心として我が国の物流を引っ張り始めるまで、物流の中心的な役割を担っていました。モータリゼーション以降はトラックに物流の主役を譲りましたが、近年は環境にやさしいという点が注目を集め、鉄道輸送に対する関心が高まっています。モーダルシフト輸送の普及なども追い風となり、物流における鉄道輸送の重要性が高まっています。

船舶による海上輸送は国際物流の中心的役割を担いますが、トラック輸送に比べて環境にやさしいという点からの注目も集まっています。海上輸送の利点はトラックや鉄道に比べて大ロットの貨物をまとめて長距離に運ぶことができることにあります。大きなロットで運べばコストメリットも期待できます。ただし、天候によって運航状況が左右されることが多く、台風などの悪天候で欠航となるリスクもあります。

経済のグローバル化の流れのなかで航空輸送の重要性も高まっています。航空輸送は全輸送量に占める割合は決して大きくありませんが、高付加価値商品の輸送に活用されます。

たとえば、短期間の輸送が重要な意味を持つ「産業のコメ」と呼ばれる半導体の国際輸送では重要な役割を演じます。さらにグローバル調達や国際宅配便ビジネスとの関係からも注目されています。

もっとも、トラック以外の輸送手段ではラストワンマイルを担えません。鉄道のように輸送に際して軌道が必要であったり、船舶のように海上でしか輸送できなかったり、航空輸送のように空港間のみの輸送になったりと、いずれも大きな制限があるのです。ただし、ここにきてラストワンマイルにロジスティクスドローンを導入する動きもあります。

**要点BOX**
- ●ラストワンマイルを担うトラック
- ●国際輸送の中心となる船舶
- ●新たな輸送モードとしてのドローンの活用

## 物流における主要輸送形態のメリット・デメリット

| 鉄道 | トラック | 船舶 | 航空機 |
|---|---|---|---|
| $CO_2$排出量の削減を視野に国内の長距離輸送に活用されている。正確な輸送計画を立てやすい。ただし、トラックに比べてコストがかかり、ラストワンマイル配送には適さないなど、輸送の柔軟性に欠ける面がある | 面的な輸送を柔軟に提供することが可能で、ラストワンマイル配送をはじめ、陸上輸送の中核的な役割を担う。ただし、近年は少子高齢化や長時間労働を敬遠する動きからトラックドライバー不足が深刻化している | 国際物流における中核的な役割を担う。国際間などの大量輸送に適している。また$CO_2$排出量削減の視点からも活用される。ただし、悪天候の影響を受けることがある。ラストワンマイル配送には適さない | 長距離の国際輸送などを迅速に行うことができる。精密機器、医薬品などの取扱いが繊細な商品や緊急輸送などに向いている。反面、短距離輸送には不向きである。また、重量物の大量輸送にも不向きである |

参考　ロジスティクスドローン（物流用無人飛行機）：軌道を必要とせず小口貨物をドアツードアで届けることが可能である

## モーダルシフト輸送の導入とそのメリット

**モーダルシフト輸送**

複数の輸送手段を組み合わせて、輸配送を行う

米国などではインターモーダルと呼ばれることもある
300～500km 以上の長距離輸送に導入

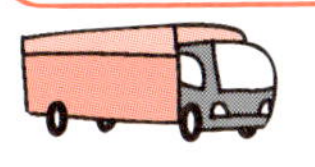
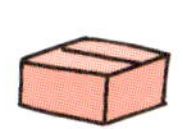

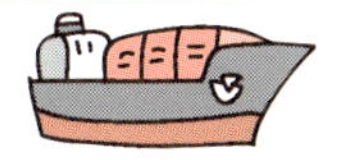

従来のトラックのみの輸送を
「トラック＋鉄道」、「トラック＋船」、「トラック＋鉄道＋船」
などの複合輸送へ転換

環境対策、少子高齢化対策、労働環境の改善などへ対応

# 9 マテハン機器を戦略的に活用

## ロジスティクスオペレーションの自動化、省人化を推進

「現代の物流システムの司令塔」ともいえる倉庫や物流センターには、さまざまな機器が情報システムとリンクするかたちで設置、導入されています。

多くの物流センターでは機械化が推進され、マテハン（マテリアルハンドリング）機器が導入されています。マテハンとは「モノを取り扱うこと」で、その名の通り、物流工程の効率化や省人化を推進するために導入されます。

そしてこれら、物流で使われる機器のことをマテハン機器と呼んでいます。すなわち、工場や物流センターなどの物流業務の作業効率化を推進するために用いられる自動倉庫、ラック、ピッキングシステム、フォークリフトなどの総称です。

庫内の諸作業の自動化、省力化、コスト削減を推進するために用いられるのです。さらに、マテハン機器は庫内のさまざまな情報システムと連動することでその効率性を一層、高めることが可能になります。

一連の庫内作業を機械化、IT化することで人件費の削減や作業スペースの節約、保管効率の向上などが可能となるわけです。労働集約的な作業の大幅な省力化が行えます。物流効率化におけるマテハンの果たす役割はきわめて重要といえます。

たとえば頻繁に出荷される重量物が多い倉庫などでは、フォークリフトによる作業の比重が高くなります。迅速に物品を破損させることなく運ぶには、人力よりもフォークリフトが適しているわけです。

さらにいえばマテハン機器を導入し手作業を減らすことで、誤出荷などのヒューマンエラーを最小限に抑えることが可能になります。

煩雑な手作業、手荷役では、処理量が大きくなった場合、作業に莫大な時間がかかります。そうしたリスクを回避するためにも、マテハン機器が物流には不可欠となっているのです。

要点BOX
- ●マテハン機器の導入で省人化を推進
- ●庫内作業時間を最適化
- ●手作業の削減でヒューマンエラーを最小化

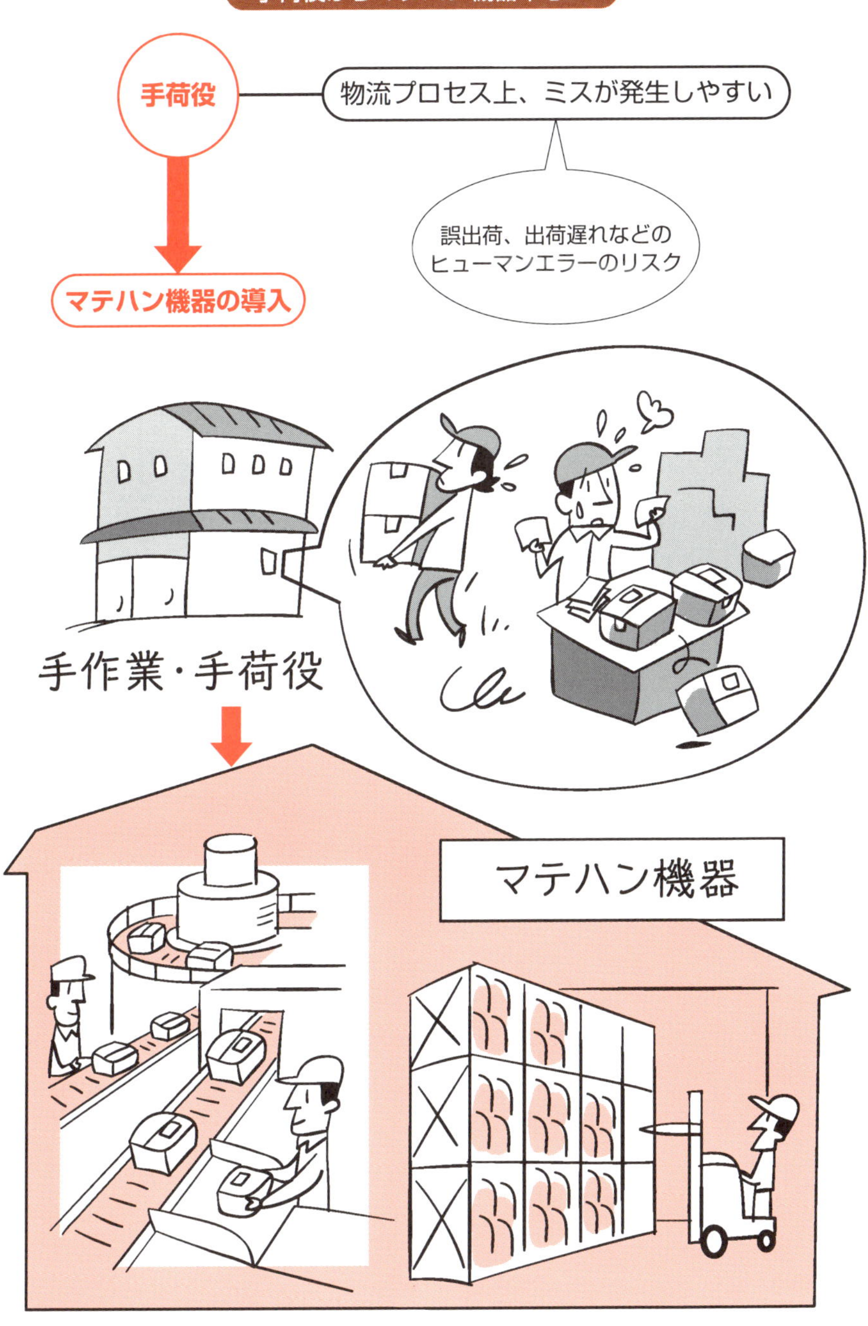
手荷役からマテハン機器中心へ
手荷役
物流プロセス上、ミスが発生しやすい
誤出荷、出荷遅れなどの
ヒューマンエラーのリスク
マテハン機器の導入
手作業・手荷役
マテハン機器

# 10 私たちの生活を支える物流に注目

**消費者物流の充実でさらなるチャンスを創出！**

ビジネスにおける物流の重要性が高まるとともに、消費者と物流の距離も短くなってきています。宅配便などの「消費者物流」という消費者に直結した物流も注目を集めています。

実際、物流は消費者にとって身近な存在となってきています。スーパーマーケットやコンビニエンスストアへの配送や、宅配便のトラックなどを街中で見かけることも多いはずです。工場から出荷された製品を消費地に近いエリアで一時保管し、消費者のニーズに合わせてタイムリーに供給するというビジネスモデルが増えてきた影響ともいえます。

また消費者に合わせた物流を展開する必要上、リードタイムを短くし、小まめに配送を行う「多頻度小口納品」も増えてきました。小売店舗などには一日に何度も納品が行われるのもそのためです。

さらにいえば、街づくりと連動させるかたちで大型物流施設が建設、運営されるケースも増えています。物流施設内で行われる一連の作業には相当量の労働力の確保が不可欠です。消費地に近いロケーションに物流施設を構えることで、パート、アルバイトなどを募集しやすくするというメリットも出てきます。地域密着型での雇用創出などにより、地域活性化にも貢献できることにもなります。

もちろん、このように物流と消費者との距離が短くなったということは、消費者にとっての物流の重要性がこれまで以上に高まっていることも意味します。消費者が以前にも増して高度で多彩な物流サービスを求め始めているともいえるでしょう。必要なときに必要なモノを、必要なだけ運んでくれるサービスが求められているのです。

私たちの生活にとって不可欠な存在となっている物流ですが、さらなる企業努力や消費者向けのサービスの充実を図ることで、大きなビジネスチャンスに結び付いていくことにもなるのです。

**要点BOX**

- ●消費者が求める商品をタイムリーに供給
- ●街づくりと連動した物流施設の開発
- ●雇用創出や地域活性化にも貢献

## 身近な存在となった「物流」

**「物流」の存在**

**消費者との距離が短くなっている**

ビジネスでの重要性が
高まるのに加え、
消費者にとっても
身近な存在になっている

たとえば……

| 宅配便の配達<br>フードデリバリー市場の<br>拡大 | 消費地に近い<br>物流拠点 | コンビニ、ドラッグストア<br>などへの<br>多頻度小口納品 |
|---|---|---|
| ⇒消費者物流市場の拡大 | ⇒雇用創出、まちづくりとの連動など | ⇒街中で見かけるドライバーの存在 |

消費地に近いデポ（拠点）からの配送

# 11 サプライチェーン全体を見回す企業の物流部の仕事

日々のオペレーションから在庫政策、国際物流まで

製造業、流通業などの物流・ロジスティクス部の実務領域は多岐に渡ります。

一般に「物流」というと、輸送のイメージが強くなりますが、物流部の業務には輸送部門のほかに、保管、荷役、流通加工（物流加工）、包装の各部門の実務も含まれることが多くなります。すなわち輸配送ネットワークの管理だけでなく、物流センターの運営、物流情報支援システムの導入や管理などもロジスティクス部の仕事となるわけです。

メーカー、卸売業、小売業などのロジスティクス部の仕事は主として、そうした物流の諸機能について社内外の調整を行うことにあります。また業務委託などを行う場合、物流企業などとの折衝や打ち合わせなども必要になります。さらに企業のロジスティクス部では、企業理念、企業戦略を念頭に中長期的な物流戦略の方向性をまとめたり、社会環境の変化を念頭にいかなる物流オペレーションを採用していくか、資料をまとめたり、データを整理、分析したりすることもあります。

また、メーカー、流通業などが物流部とは別に物流子会社をグループ内に所有していたり、物流センター業務や配送業務などのライン機能を物流企業に外部委託をしていたりするケースもあります。その場合、ロジスティクス部がそうした社外の物流企業との連携・調整役になります。在庫政策、日々の物流オペレーションの方針などについて、物流企業などと十分な打ち合わせや議論、検討を行う必要があるのです。

企業が事業をグローバル展開している場合、物流部の業務も海外に及びます。すなわち国際物流についても関連業務を行わなければならなくなるのです。海外向けの出荷指示や国外の物流センター、工場などとの調整役を担うこともあります。また反対に海外からの輸入貨物にも対応しなければならないこともあります。

●多岐にわたる物流・ロジスティクス部の実務領域
●中長期的な物流戦略を策定

## 物流部の社内外での機能と役割

輸配送ネットワークの管理
物流センターの運営
物流情報支援システムの導入・管理など

**社内関連部署**
- 調達部、生産部、営業部、トップマネジメント

**社内での役割**
- 生産部、営業部などとの在庫マネジメント、リードタイムマネジメントなどの情報共有、方針の統一、トップマネジメントへの物流面からの戦略提案など

**対外ネットワーク**
- サプライヤー、顧客企業、消費者、物流企業、情報システム企業、物流コンサルティング企業、物流関連官庁など

**対外的な役割**
- サプライチェーンロジスティクスの構築、物流戦略などについての情報共有、物流現場での協調体制の構築など

Column

# 静脈物流との連動

動脈部分の物流システムは、ロジスティクスの概念の普及や企業の物流効率化の努力もあり、高度化を遂げてきました。これまで輸送コスト、保管コスト、荷役コストなどでは、可能な限り低減を図る努力が進められてきました。しかしそれに対して静脈物流の戦略化、効率化、高度化はまだまだこれからという状況です。

もっとも近年、各方面で使用済みの自社製品の回収・リサイクルシステムの構築についての注目度が高まっています。そしてその結果、企業は静脈物流についても、動脈物流との連動をふまえたうえでの高度化を迫られています。実際、動脈物流における効率化の有力な手法が静脈物流でも用いられるケースが増えています。

たとえば、動脈物流の効率化の有力な手法の1つとされるモーダルシフト（複合一貫）輸送を、静脈物流でも活用する事例が出てきています。工場などから廃棄物を収集運搬する際のトラック輸送を一部、船舶、鉄道などに切り換えることで、コストと$CO_2$（二酸化炭素）排出量を削減することが可能になるのです。

廃棄物を処理するにあたり、どのような収集運搬システムを構築すれば効率的かつ効果的に行えるかということを、サプライチェーン全体で協力して考えていくことが望まれているのです。

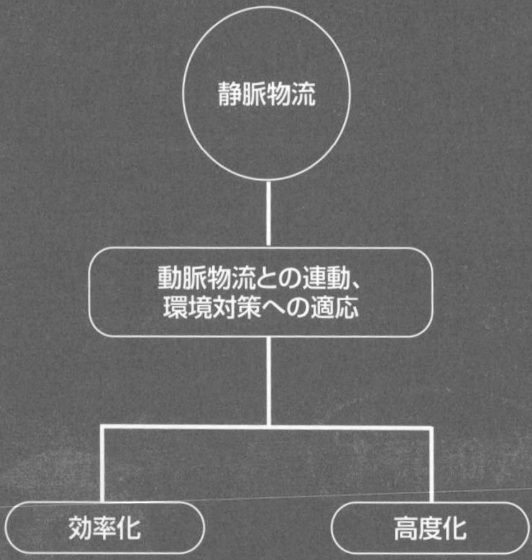

静脈物流

動脈物流との連動、
環境対策への適応

効率化

高度化

第2章

# 物流の歴史は「工夫の歴史」

# 12 人類の歴史とともに物流も発達

## 古代文明による車輪や荷車の発明

「モノをいかに効率的に運ぶか」ということは人類の進歩にとって大きなテーマでした。言い換えれば、物流の発明と進歩が人類の発展に大きく貢献してきたのです。

まず効率的にモノを運ぶのに必要な部品である車輪が、紀元前2500年頃のシュメール人によって発明されました。この頃のシュメール人は車輪の付いた車をロバや馬、あるいは「クンガ」という古代動物などに引かせた運搬作業を始めていたのです。シュメール人の繁栄の礎を築いたのが、多くの物資を輸送する手法の確立だったのです。

荷車はインダス文明の都市遺跡からも発掘されています。インドの聖典『リグ・ヴェーダ』には「男と女は荷車の車輪のようなものである」という記載があるようです。

さらに古代ローマ時代になると、荷馬車などが発達しました。「すべての道はローマに通ず」といわれましたが、ローマに通じる道を進んだもののなかには、多くの荷馬車も含まれていたというわけです。古代ローマではローマ街道を用いた郵便馬車制度も整備されていました。

日本でも巨大集落の建設などでは「石を手渡しにして運んだ」と『日本書記』に書かれているように、運搬作業は古代から、文明を発達させる大きな原動力として認識されてきました。また、701年の大宝律令で駅制・伝制が制定されました。駅制で情報の伝達を、伝制で公用の人や荷物の継ぎ送りが行われました。事実上の通信・物流網の整備が始まったのです。

人類がまずは「モノを運ぶ」という物流の基本的な考え方を認識したうえで、文明が生まれ、集落、さらには都市が開発、発達してきたのです。

物流の高度化や効率化が私たち人類の進歩に大きく貢献してきたといえるわけです。

●「いかにモノを効率的に運ぶか」を追求
●人、モノ、情報を早く運ぶためのしくみ
●運搬作業の進化で集落・都市開発も加速

## 文明の進歩と物流

シュメール文明における「車輪」の発明

インドの聖典『リグ・ヴェーダ』には「男と女は荷車の車輪のようなものである」という記載

古代ローマの道路網

日本では、701年の大宝律令で駅伝制・伝馬制が制定され、通信・物流網の整備が始まったといわれる

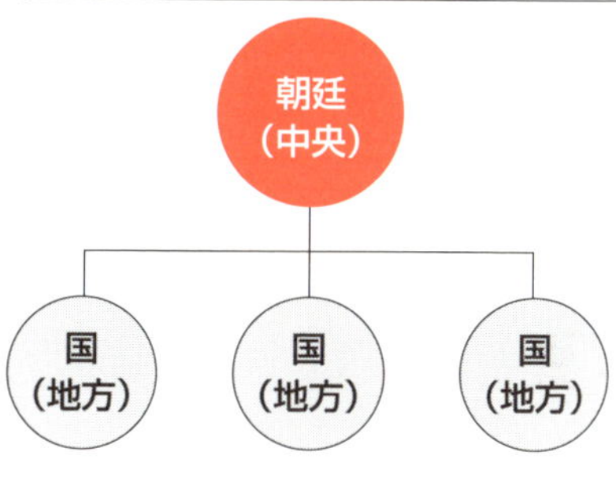

日本でも『日本書記』などに運搬の概念が見られる

# 13 物流最適化と結び付くオペレーションズリサーチ

## ビジネス分野の物流課題をシミュレーション

自然現象や物理現象に対して数式を用いて解析するのではなく、社会現象に対して数式を用いてモデル化などを行うフィールドがあります。いわゆる経営工学といわれる領域です。そしてそのなかの一分野であるオペレーションズリサーチ（OR）がロジスティクスの発展に重要な役割を果たしてきました。

ORはもともとは作戦研究でした。第二次世界大戦中にドイツによるロンドン攻撃が激しくなったときに、イギリス軍が何人かの科学者に戦略研究を依頼したのが始まりです。軍事作戦を立案して、そのオペレーションを実行するための資材の輸送や調達の効率的な方策を立てるのが目的でした。戦争におけるさまざまな状況を数式を用いてモデル化し、分析しました。戦闘で用いられる爆弾の必要量や、兵器の在庫量、最適な攻撃ルートといったものを計算することも行われました。

そして近年はその手法を使って、スケジューリングの調整や在庫モデルの構築、全体最適化などが行えるとして物流関係者からも注目されています。

ORは第二次世界大戦後、学問の世界を経由するかたちでビジネス界に入ってきました。たとえば経路最適化はトラックの輸配送計画などに用いられるといった具合でした。ただし、IT革命以前はこうしたOR理論による物流の理論化はなかなか実用性を高められませんでした。それは理論ではわかっていても手計算では莫大な時間がかかったからです。ところがIT革命以降、パソコン端末やソフトウェアなどのITの急速な発達により事情が一変してきました。

たとえば物流センターにおけるトラックの到着台数、トラック1台当たりの平均荷役時間などのデータがわかれば、数式を用いてモデルを作り上げ、コンピュータシミュレーションを行い、作業を円滑に行うためには、どれくらいの作業者が必要なのかを割り出すことも可能になります。

**要点BOX**
- ●在庫問題などをモデル化で解決
- ●軍事研究がきっかけで発達
- ●IT技術の発達で実用化

## 物流・ロジスティクスにおけるオペレーションズリサーチの活用

在庫モデル
立地・施設配置モデル
配送計画モデル
運搬スケジューリングモデル
ロジスティクスネットワーク設計モデル

IT化の進展を追い風に
ロジスティクス領域の効率化を推進

**オペレーションズリサーチ(OR)とは**

在庫管理、配送計画などのビジネス分野・社会科学分野などにおいて最大限に目的を達成するための意思決定を数学的、科学的に行う手法を指す



一例として、トラック輸送における
貨物取扱量などのデータを活用

# 14 戦後の物流を発達させたコンテナとパレット

荷役作業の負荷を大幅に削減

現代物流の進歩にコンテナとパレットの発明も大きく貢献しています。

海上貨物コンテナは1949年にオーシャン・バン・ライン社がアラスカ・シアトル間を使用したのが最初とされています。ただしこのコンテナとはいささか異なったもので、強度で現在のコンテナは2段積みが限度の強度で現在のコンテナとはいささか異なったものでした。陸送用に使われていたセミトレーラーをヒントに開発されました。

現在の海上貨物コンテナの生みの親といわれるのは、米国の起業家、発明家、マルコム・マクレーンです。彼がコンテナをモーダルシフト輸送などにリンクさせる発想を業界に持ち込んだのです。

ただし面白いことに、マクレーンは海運業界の出身者ではなく、トラック運送業界の出身者でした。トラック運送業界の視点から陸と海の物流を結び付けることを考えたのでした。

他方、パレットは第2次世界大戦で米軍が保管の効率化などを目的に発明、導入したのが始まりとされています。それが戦後、日本でも活用されるようになり、1970年にはJIS（日本産業規格）に組み込まれました。

ちなみに、パレットについてはさらにレンタルパレットのしくみ作りが進みました。レンタルパレットシステムを活用することで工場から卸売業、小売業などの物流センターへの輸送などに使われたパレットが滞留することを防ぐことが可能になります。使用後に物流センターなどの近隣のレンタルパレットのデポ（拠点）に返却するのです。レンタルで使用することでパレットを安く効率的に利用することができます。

また、近年はパレットにRFIDタグ（非接触タグ）を搭載することで、貨物情報、在庫情報の可視化を推進する動きも大きくなっています。パレットの効果的な活用が物流高度化の推進における大きなカギとなっているのです。

**要点BOX**
- ●コンテナの活用で海上貨物輸送を効率化
- ●レンタルパレットの活用で物流の高度化を推進
- ●RFIDの活用で貨物情報を可視化

## レンタルパレット導入のイメージ

工場

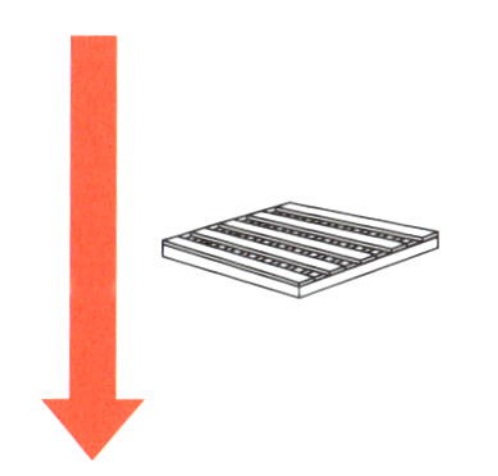

卸売業
物流センター
（主としてディストリビューションセンター）

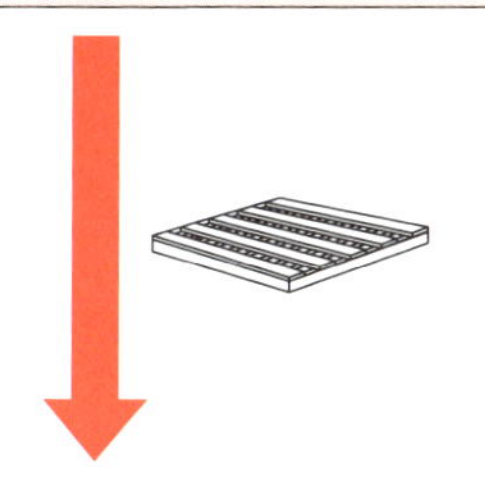

小売業
物流センター
（主としてトランスファーセンター）

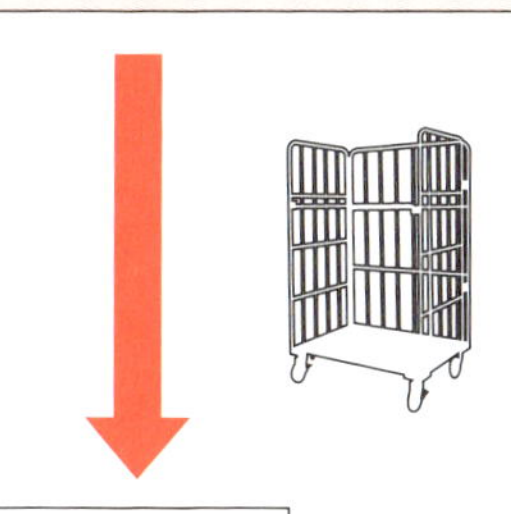

小売店舗

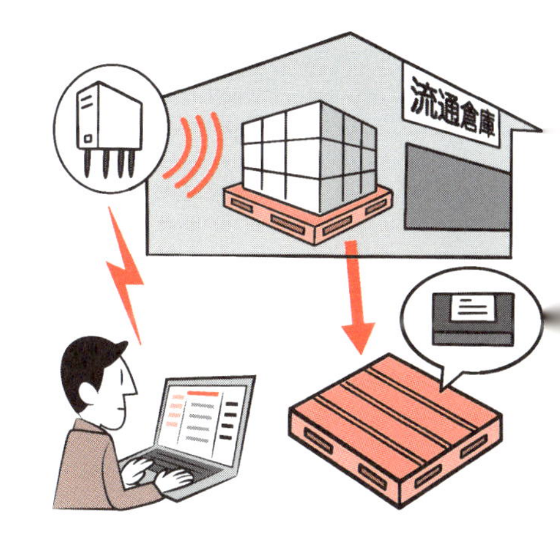


出典:ユーピーアールのホームページなどを参照に作成

パレット、かご車などの
紛失率が高い

レンタルパレットの導入

レンタルパレットを使うことで
効率的な回収が実践できる

工場からパレットで出荷して、
小売業の物流センターで
かご車に入れ替えるんだ

# 15 人類の長い「保管の歴史」を反映

## 経済の拡大にあわせて倉庫も発達

倉庫には、昔から人々が大切にするさまざまな品物が保管されてきました。

我が国で古い倉庫というと、東大寺の正倉院が有名です。中国、シルクロード、ペルシャなどからの貴重な財宝などが今も保管されています。ちなみに奈良時代、平安時代の倉庫の特徴は高床式でした。保管の大敵となる湿気を防ぐのが目的でした。宝庫という言葉もあるように、倉庫には高価で貴重な品物を保管するというのが原則的な考え方であったわけです。

平安時代から鎌倉時代にかけて荘園が日本各地にできると、問丸（といまる）と呼ばれる組織が荘園の年貢を販売するようになりました。その際、問丸は年貢米を荘園から運び出し、倉庫のなかに保管するようになりました。食糧として貴重な米が保管の対象物となったのです。

なお、我が国の倉庫業の始まりは、鎌倉時代後期の土倉（どそう）からといわれています。土倉は現在の質屋さんのように質草を預かり、それをもとにお金を貸す金融業者でした。その質草の保管に倉庫が使われたのです。

江戸時代になると、貸蔵という職業が発達してきました。江戸や大坂の商人の物品を蔵敷料をとって預かるというものでした。経済の発達にあわせて倉庫の需要も大きくなってきたわけです。

さらにこの時代の商習慣で御蔵、蔵屋敷と呼ばれる自家倉庫の原型に加え、商人がすでに売ってしまった商品についても、証明書となる米切手や蔵預かり手形という現代の倉荷証券と同じような機能の預かり証の発行も始まっていたのです。

このように倉庫は宗教関係の宝飾品、金工品、米などの食料品などの保管から始まり、経済規模の拡大にあわせてそのビジネスモデルを大きく進化させてきたのでした。

**要点BOX**
- ●年貢米の保管を始めた問丸
- ●御蔵、蔵屋敷など、自家倉庫の原型が登場
- ●貸蔵が発達した江戸時代

## さまざまな倉庫

正倉院

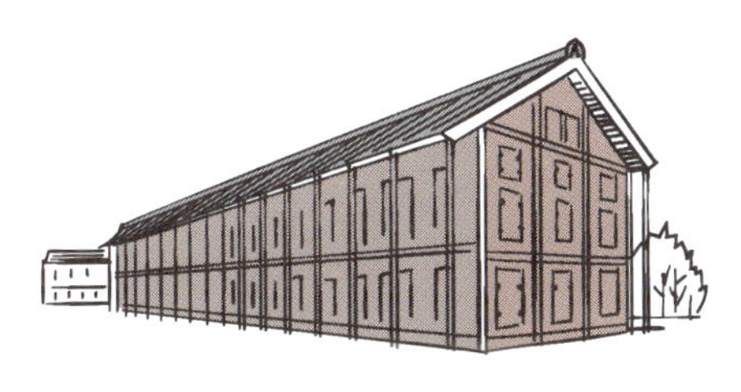

富岡製糸場の西繭倉庫

横浜赤レンガ倉庫

最先端の自走式倉庫

倉庫にはたとえば、宝石、貴金属、重要文書、絹織物などの古来より重要なモノが保管されてきた

# 16 後処理的な扱いで軽視されてきた物流

## IT化の進展で重要性が増した物流

1960年代の高度成長時代、1964年の東京オリンピックなどもバネにして日本経済は日の出の勢いで発展していきました。

その結果、生産の効率が高まり、大量生産できるようになると商品の値段も安くなりました。そうしてだれもが買える大衆商品となっていきました。

企業の立場からいうと、「いかに安くすぐれた商品をつくるか」ということがとても重要なことになりました。そのためには商品をできるだけ大量に生産することが、きわめて重視されました。

当時、「庶民の憧れ」といわれた3C（クルマ、カラーテレビ、クーラー）なども、だれもがほしがる最先端の工業製品ということから、生産すれば、おもしろいように売れました。売れ残るなどということはほとんどありませんでした。また万が一、売れ残っても利益が出る程度に値引きして売ればよかったのです。

むしろ人気のある新商品は多くの人がほしがったので、足りないことを心配しなければなりませんでした。商品が品切れになっていれば、消費者はほかの会社の商品を買ってしまうかもしれないからです。

また倉庫に大量の商品が積まれていることも、よいこととされました。たくさんの商品が倉庫にあるということは、企業の財産にあたる「資産」があることとして評価されたからです。逆に売れ筋商品が欠品することは、企業としては恥ずかしいことでした。「企業がたくさん商品を持っていれば消費者も安心して購入できる」と考えられました。

こうした状況のなかで物流の重要性はほとんど顧みられませんでした。輸送、保管、荷役、流通加工、包装の5大機能に情報管理をあわせて物流（物的流通）という考え方もようやく世に出てきたばかりでした。そして物流の役割も後処理的なケースが多く、せいぜい「欠品なく商品をきちんと用意することが物流の役割」といったところでした。

**要点BOX**
- ●大量消費に対応した大量輸送を推進
- ●在庫を「資産」とみなして重要視
- ●在庫補充や欠品回避を優先

## 企業経営における「物流の役割」の変化

| 1960年代～1980年代 | 1990年代～中頃～ | 2000年代～ | 今後の役割 |
|---|---|---|---|
| 物流改善が現場レベルで行われるものの、ロジスティクス（戦略物流）の導入は一部企業に限られる。物流はほとんどの企業や業界では後処理的業務と見なされる。物流業務は「縁の下の力持ち」で、企業活動における脇役に過ぎなかった。 | IT革命以降、物流関連のアプリケーションの充実、物流関連の規制緩和の進展、経済グローバル化、物流理論の進歩などにより、物流を中心としたビジネスプロセスの最適化であるロジスティクス（戦略物流）や多企業間での情報共有を推進し物流を含むビジネスプロセス全体の最適化を目指すサプライチェーンマネジメント（SCM）が普及し始めた。 | SCMアプリケーション、物流情報システムの普及がさらに進み、物流の高度化、標準化がより一層の進展を見せる。物流コストの可視化を推進する方策も多数提案される。物流戦略が企業経営を左右する時代になった。 | ●物流と情報との融合<br>→物流DXの進展<br>●完全自動化・無人化<br>→オペレーションを目指す流れ<br>●物流が企業経営の中核に位置する時代の到来<br>●トップマネジメントからの物流改革の必要性 |
| 物流は最後の暗黒大陸！ | ロジスティクスの浸透 | 物流高度化の進展 | 物流のデジタル化の推進 |



### 高度経済成長期の在庫政策

- 生産性の向上が前提
- 大量生産で機会ロスを回避
- 在庫を「資産」として重視

高度成長期の対応

- 欠品の発生を極度に警戒
- 過剰な安全在庫量の設定
- 大量調達、大量輸送、大量保管などの推進

- 過剰在庫の回避
- 安全在庫量の最適化
- 綿密な在庫レベルの設定

現代物流の考え方

# 17 物流理論の重要性にも注目が集まる

オーラルセオリーから科学的アプローチへ

物流理論の歴史は、1912年の論文で、米国の経営学者、A・W・ショウが経済活動を生産、流通、消費の3活動に区分して、さらに流通活動の構成要素として需要創造活動と物的供給活動の2活動をあげたあたりから始まったと考えられます。ここでいう物的供給活動が現在の「物流」にあたります。

1960年代になると米国では物流理論の研究が進み、ドナルド・バワーソックスをはじめ『フィジカルディストリビューションマネジメント』（物的流通管理）などの理論書が出版されるようになりました。

なお、物流理論とも関係の深い在庫理論についての研究は、20世紀の初めにテーラーが科学的原則を経営管理に適用したことにさかのぼれます。

第一次世界大戦直後の米国では過剰生産や過剰在庫が一因となり世界大恐慌が発生しました。その際、「在庫は、以前は人々を豊かにした。しかし在庫がもとで破産する人が出てきた」といわれました。さらに1950年代には在庫理論の大枠が確立されました。

ちなみに、在庫管理における1分野でもある発注法についての歴史も長く、1952年にはサイモンという学者が経済効率を最大限に高めた発注法として「定期発注法」に注目しています。1960年代になるとコンピュータも実用化の方向に動き出しました。そしてコンピュータ管理の在庫管理システムも登場しました。日本においても1970年代以降、コンピュータ化の進展などを背景として、生産物流を中心に在庫適正化に対する理論武装が進んできました。

ただし、こうした物流理論や在庫理論の長い歴史にもかかわらず、一般的には物流はオーラルセオリー（書物などで体系化されてない実務知識）であり、体系的な研究が進み始めたのは最近のことです。デジタル化が進むことで科学的、学術的視点が実務により一層取り込まれていくことが期待されています。

要点BOX

●科学的、学術的視点からの体系化の進展
●理論武装を充実させて物流を最適化
●科学的原則を経営管理に適用

## 物流理論の歴史

**1912年**

米国の経営学者、A･W･ショウが経済活動を生産、流通、消費の３活動に区分。さらに流通活動の構成要素として需要創造活動と物的供給活動の２活動を提案

**20 世紀初頭**

２０世紀の初めにテーラーが科学的原則を経営管理に適用する

＊過剰生産、過剰在庫のリスクが
指摘される

**1950 年代**

主要な在庫理論の大枠が確立される
サイモンが定期発注法に着目する

**1960 年代**

米国で物流理論の研究が進み、ドナルド・バワーソックスをはじめ『フィジカルディストリビューションマネジメント』などの理論書が出版される

**1960 年代以降**

在庫理論などに関する研究が進む

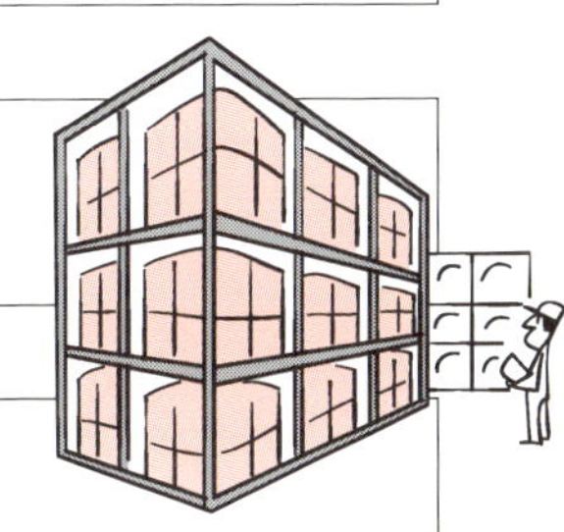

**1970 年代以降**

ロジスティクスの概念について研究が行われる

**1985 年**

サプライチェーンマネジメント理論の中核となる制約条件についてエリヤフ・ゴールドラットが『ザ・ゴール』を著す

**経営学、経営工学などの理論をベースに
物流・ロジスティクスに関する研究が進む**

# 18 物流効率化にとって重要な需要予測の発達

在庫情報、入出荷情報、販売情報などを共有

物流の高度化を進めていくためには在庫情報、入出荷情報、販売情報などを共有していくことが重要になります。「どの商品がどれくらい必要になるか」を予測し、「必要な商品を必要なだけ、ムダ、ムラ、ムリなく供給していく」というタイムリーな物流の実現を目指します。流通プロセスにおけるビッグデータを有効に活用し、需要を予測する必要があるのです。実際、コンビニなどでは数時間ごとの需要予測を行うことで、店頭在庫の適正化などを実現しています。

需要予測については、過去のデータをもとに分析する時系列分析法、求めたいデータにおいて前後データをいくつか取り、その平均を利用する移動平均法、過去のデータから算出した予測値を用いる指数平滑法、関連情報の因果関係などを根拠に予測を行う回帰分析などの手法があります。

加えてここにきて注目を集めているのが、機械学習のアルゴリズムを用いたAI需要予測です。AI需要予測では、日次データの変化、在庫や貨物の属性をもとにした入出荷量との関連性、相関性などをAIにより抽出し、需要を予測していきます。

販売実績、気象情報、企画情報などのデータから小売店舗の商品発注数を算出し、発注量を適正化することにより、欠品や廃棄ロスの悪化を防止するなどの効果を図ります。

AIを使用することで需要予測の精度が上がれば、リードタイムが緩やかで比較的長いサイクルの商品の在庫管理も柔軟に対応できるようになるはずです。商品のライフサイクルが長くなり、生産効率の向上につながる可能性もあります。

言い換えれば、AI需要予測の精度向上がビジネスモデルの大きなイノベーションに結び付く可能性はきわめて高いということになります。

**要点BOX**
- ●AI需要予測の進化でビジネスモデルが高度化
- ●ビッグデータの活用で店舗在庫を適正化
- ●長リードタイムの商品の在庫管理を改善

## AIの活用で高度化する需要予測

需要予測

商品の必要量などを予測し、
必要な商品を必要なだけ
供給する

【従来の需要予測の手法】

- 過去のデータをもとに分析:時系列分析法
- いくつかのデータの平均を取る:移動平均法
- 過去のデータから算出した予測値を用いる:指数平滑法
- 関連情報の因果関係などを根拠に予測:回帰分析

入出荷高との関連性、
相関性などをAIにより
抽出し、需要を予測する

ビッグデータの活用
AI需要予測への進化

在庫管理に柔軟に対応

ビジネスモデルのイノベーション

# 19 戦争のたびに進化したロジスティクス

## 物流部門におけるデジタル化と無人化の進展

物流の概念は戦争のたびに進歩してきたといわれています。そして現代戦争もロジスティクスのあり方や考え方を反映しています。実際の戦争の戦術、戦略がロジスティクスに応用されていったことも少なくありません。ちなみに軍事における物資補給部門は「輜重(しちょう)」といわれました。

たとえば、戦後の大量消費時代の代表的な戦争はベトナム戦争でした。ベトナム戦争では「じゅうたん爆撃」という戦術がとられました。米軍によって「片っ端から空爆を行うことで勝負をつけよう」という発想のもとに行われました。大量に爆弾を落とすことで一気にケリをつけようとしたのです。ある意味、大量消費時代を象徴するような戦術でした。

しかし時代が変わり、湾岸戦争、あるいはイラク戦争になると、米軍は「狙ったところに間違いなく爆撃する」いうピンポイント爆撃という戦術をとるようになりました。ムダな爆撃は可能な限り避けるようになったのです。ムダな爆撃を避けるということはムダに商品を作ったり、必要以上の在庫を持たないという考え方にも結び付いていきました。

さらにいえば、機械化、IT化、無人化などの軍事で活用されたさまざまな技術がロジスティクス分野にも適用されていきました。

たとえばRFID(非接触タグ)、追跡システム、無人運転システムなども最先端技術として軍事応用されていきましたが、それら最先端技術もロジスティクスの高度化における不可欠なツールとなっています。ウクライナ侵攻ではドローンも実用化されました。

もちろん、ロジスティクスの進歩や高度化には戦争以外の要素も相当にあります。しかし実際の軍事ロジスティクスにおける兵站(後方支援)の考え方や戦術の発達、さらには軍用機器などの民間転用などに際して、民間が進めるビジネスロジスティクスに多大な影響が及んだことは否定できないのです。

**要点BOX**
- ●軍事的な戦術を物流実務に応用
- ●効率化、合理的な戦略の展開
- ●テクノロジーの進歩を物流に活用

## 軍事における兵站の担い手である「輜重」とは

### 輜重

戦争の前線に補給する食糧、日用品、武器、弾薬などの軍需品を指し、転じて軍事における後方支援の一部を意味する。輜重（しちょう）の実行部隊を輜重兵という。
戦争におけるロジスティクスの実働隊のことで輜重輸卒（しちょうゆそつ）ともいわれる。軍隊のなかでの位置付けは低かった

## 軍事技術のロジスティクス分野への応用

RFID の活用による
軍事目標などの追跡、
位置情報の把握

物流貨物の追跡システム、
在庫管理システムなどへの
RFID の活用

現代戦争における「無人化」
現代戦争では後方支援や実際の
戦闘における無人化が進んでいる

無人のフォークリフト、
トラックなどの貨物輸送、
運搬システムへの応用

# 20 高度化、複雑化した最新のロジスティクス

## 物流を中心にしたビジネスプロセスの最適化

1990年代になると、「ロジスティクス」（戦略物流）という言葉がしきりに使われるようになりました。それまで「たんにモノを運ぶだけ」であった物流が、戦略性を高めて効率的にモノを運び、在庫状況について高い意識を持ちながら保管し、あわせてそれに関わる一連のプロセスを改善していくことをロジスティクスというようになったのです。

企業が、売れ残りや過剰在庫などを防ぐためには綿密な需要予測が必要になります。そして需要予測の徹底をふまえて、モノの流れが管理されるようになりました。そこで生まれてきたのが、ロジスティクスという考え方でした。モノの流れ、すなわち物流を戦略的にマネジメントするという発想です。

モノの流れを戦略的に管理し、ビジネスプロセス全体の最適化に反映させるのがロジスティクスです。つまり、ロジスティクスとは、物流領域の改善と最適化を中心に据えた効率化、合理化を指します。部品調達などから販売にいたるまでのモノの流れを包括的、戦略的に管理し、最適化します。

たとえば、大量調達、大量生産、大量輸送などを縦割り組織のもとに行えば、過剰在庫が生じるリスクがあります。

そこで生産地から消費地までのモノの流れと保管とそれらの情報を可視化し、巨視的、統括的、効率的に管理する必要性が出てきます。つまり、ロジスティクスでは、「モノがどのように流れ、どこでどれくらい保管されればよいか」ということを高度な戦略性のもとに管理します。したがって、従来の戦略性の低い物流（フィジカルディストリビューション）と、高度な戦略性を持つロジスティクスは同じ意味とはなりません。

ちなみにロジスティクスとは、もともと軍事における「後方支援」のことでした。軍事における供給システムをビジネスの世界に移入したわけでした。

**要点BOX**

- ●物流を戦略的視点から再構築
- ●過剰在庫の発生を極力回避
- ●「モノを運ぶだけ」からロジスティクスへと進化

## 企業活動におけるロジスティクスの役割

情報武装を徹底し、物流プロセスを戦略的に改善

サプライヤー（部品供給） → メーカー（商品開発・製造） → 卸業者 物流業 → 小売業 → 消費者

売れ残り、過剰在庫などを防ぐためにPOS※データなどを活用し、
在庫管理、物流管理を徹底

モノの流れを戦略的に管理し、物流領域を中心に
ビジネスプロセスの最適化を実現

※POS（販売時点情報管理）

## ロジスティクスの機能

**ロジスティクスの機能**

- 物流機器・設備導入
- 在庫管理
- 静脈物流管理
- 物流センター管理
- 生産・物流管理
- 発注業務
- コールセンター運営
- 物流センター設計
- 需要予測
- 情報システム導入・管理
- 調達物流管理
- 入荷・出荷管理
- 物流戦略立案

Column

# 物流センターに必要な設備

物流センターやトラックターミナルなどでトラックを停めて、荷積み、荷卸しを行う所定のスペースを「トラックバース」といいます。バース数が少なすぎると利用するトラックは行列をつくることになります。反対に多すぎるとバースがいつも空いているということになります。

また、物流センターで通路の占める割合は大きく、そのレイアウトも重要です。作業性を無視して通路を作らないようにしましょう。

通路にはさまざまなパターンが考えられます。機能、構造、あるいはフォークリフトなどの物流機器の活用度などもレイアウトを大きく左右します。

ピッキングなどを行う際に利用する通路は、可能ならば一方通行でレイアウトを行うほうがよいでしょう。入荷ゾーン、保管ゾーン、ピッキング・ライン、出荷ゾーンなどがスムーズな流れになっているほうが作業効率が上がります。

ラック（棚）についても物流センターの設計時点から十分に方針をまとめておく必要があります。余裕を持ったレイアウトでラックを設置する必要があります。入出庫に際してラックが大きく揺れたり、ラックに歪みやガタツキが生じたりすることがないようにします。ラックが歪んでいる場合、レイアウトを変更しても組み立て直すことが難しくなります。

このほか、フォークリフト、ピッキングシステム、自動仕分け機、自動倉庫などが戦略的に選択、採用されているかどうかも重要なポイントとなります。

ただし、ヤミクモに物流設備を導入するのではなく、その効果を十分に考える必要もあります。

一筆書き（一方通行）が
庫内通路の原則

# 第3章 社会環境の変化で物流も変わる

# 21 ますます強化される物流と情報の結び付き

デジタルシフトの進む物流ビジネスモデル

コロナ禍によって、多くの企業は業務形態をオンライン中心に切り替えざるを得なくなりました。

情報分野は日進月歩で発展しており暗黙知となりつつありますが、その一方で、物流・ロジスティクス領域の進歩はこれまで注目を集めてきませんでした。

しかし、物流と情報の結び付きは以前から強かったのです。たとえば、戦後まもないころの高度成長期には、モータリゼーションの流れのなかでトラック輸送ネットワークの全国網羅が進められてきました。

さらに近年は、倉庫管理システム（WMS）や輸送管理システム（TMS）、在庫管理システムなどの物流支援情報システムのクラウド化が進み、スマートロジスティクス（高度情報化された戦略物流）の概念も浸透していきました。ビッグデータ、IoT、AI（人工知能）などを情報ツールやソフトウェアと組み合わせ、サプライチェーンの最適化が推進される時代に突入しているのです。高度情報通信の進歩と歩調をあわせ、物流DXの高度化が進んでいます。

実際、DXはサプライチェーンの中枢となる経営部門だけの話ではありません。トラック運送や倉庫における荷役作業などの物流の現場でも推進されていくことになります。

たとえば、トラック運送の現場に係わる貨物情報、輸配送状況、位置情報などを、スマートフォンも含めた業務用端末を用いた情報の可視化なども進んでいます。物流現場の一連のプロセスがデータ化され、可視化、共有されることで、これまで以上に効率的で高度な物流オペレーションを実践できるようになるといってもよいでしょう。より大きな規模と高いレベルでモノと情報がリンクし、効率的に使いこなせる環境が整備されていくことになります。

DXの推進で、伝票などは紙媒体がデジタル化され、勘と経験に頼っていた物流現場からの脱却が進められています。

**要点BOX**
- ●クラウド化の進む物流における情報管理
- ●ビッグデータ、IoT、AIなどの活用
- ●加速するスマートロジスティクスの構築

## 物流ＤＸネットワークの構築

ウィズコロナ時代の社会変革

５Gの活用による遠隔会議、遠隔診断、遠隔授業などの物理的距離を克服するしくみへのニーズは拡大

ヒト、モノ、コトがつながるDX社会の推進

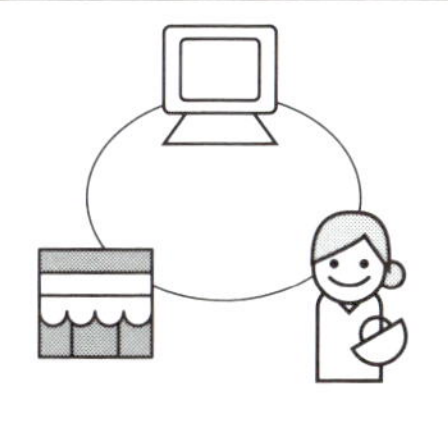

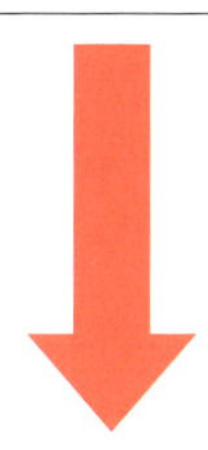

ビッグデータ、IoT、AIなどの活用で物流情報の可視化、共有化を実現

物流DXネットワークの構築

**ＤＸ（デジタルトランスフォーメーション）**

**スウェーデンのエリック・ストルターマンが提唱した概念で、「絶えず進化するテクノロジーが人の暮らしを変革していく」という考え方。経済産業省が「ＤＸを推進するためのガイドライン」を経済産業省がまとめている**

物流と情報の融合が進んでいる

# 22 ニューノーマル時代への突入で変わる物流システム

## 激変する時代に合わせたロジスティクスの構築

コロナ禍の発生を契機にニューノーマル時代に突入しましたが、それにより物流システムも大きな転換期を迎えています。たとえば、国際物流はコロナ禍やそれに続くウクライナ侵攻の大きな影響を受けました。

まず各国のロックダウンが深刻な港湾労働者不足を引き起こし、世界的なコンテナ不足に陥ったのです。コンテナの多くは中国製で、コンテナの生産が滞ってしまったのでした。

また欧州や米国で日用品などの需要が急増したことから、中国—米国、中国—欧州のルートにコンテナが集中し、アジアルートのコンテナ確保が後回しにされてしまいました。その結果、コンテナ料金はコロナ禍以前の相場から大きく値上がりし、グローバルロジスティクスにおけるモノの流れは大きく滞留することになったのです。

他方、コロナワクチンはマイナス70度での国際輸送が求められるなど、厳密な温度管理が必要とされました。そのため、ワクチンをいかに安定的に低温輸送するのかに、航空輸送業界が注力することになりました。

飲食業もコロナ禍による大きな影響を受け、飲食業を取り巻く物流環境も大きく変化しました。たとえば、フードデリバリーの認知度が大きく向上し、出前館やウーバージャパンなどが売上高を伸ばしました。また「ダークキッチン」と呼ばれるバーチャルレストランも相次いで開設されています。これは注文を受けると、ネット専用の厨房で調理を行い、フードデリバリー企業が配達するといったビジネスモデルです。ネットで注文を受けることで顧客情報をデータ化し、「どのような食材やメニューが好まれるのか」、「どのエリアの顧客が多いのか」、さらにはエリアごとの嗜好（しこう）の分析なども可能になります。コロナ禍で非接触の生活環境が広がるなかで、物流関連のデータ分析にもこれまで以上に注目が集まってきたのです。

- ●コロナ禍が引き起こした国際物流の混乱
- ●迅速なグローバル輸送が求められるワクチン供給
- ●飲食業を支えるフードデリバリーの充実

## 激変した物流を取り巻く環境

たとえば……

| 国際的なコンテナ不足 | 迅速なワクチンの航空輸送 | 激変したフードデリバリー |
|---|---|---|
| 各国のロックダウンが深刻な港湾労働者不足を引き起こし、世界的なコンテナ不足が発生する | 厳密な温度管理、迅速なグローバル輸送を実践する | ネット専用の厨房で調理を行い、フードデリバリー企業が配達。顧客情報のデータ化、エリアごとの嗜好の分析など |

コロナ禍以降のニューノーマル時代はこれまで以上に緻密な物流が要求されるようになってきている

# 23 岐路に立つグローバル物流の展開

## 経済安全保障を念頭に置いたサプライチェーンの強化

近年、米国はテロ対策強化の視点からサプライチェーンセキュリティの管理体制の強化を進めてきました。武器のみならず汎用品についても、軍事転用される可能性のある製品についてきびしい輸出管理が行われています。ロシアによるウクライナ侵攻の勃発により、その流れに拍車がかかった傾向です。

経済分野を含むさまざまな領域で、コロナ禍における国際情勢の複雑化などを背景に「経済安全保障」という考え方が注目を集めています。AIなどの未来のテクノロジーの流出が、安全保障に影響するリスクとして考慮する必要が出てきているのです。我が国も先端的な技術・データの流出防止や輸出管理強化を徹底し、同時に医薬品や半導体などの重要物資のサプライチェーンを強化する必要に迫られています。

ちなみに経済安全保障上の取り組むべき課題は、

①重要物資や原材料のサプライチェーンの強靭（きょうじん）化
②基幹インフラ機能の安全性・信頼性の確保
③官民で重要技術を育成・支援する枠組み
④特許非公開化による機微な発明の流出防止

の4分野とされています。

非常時、緊急時、有事に際しても途絶することのない、しっかりとしたサプライチェーンの設計と構築に、官民一体となって取り組む必要が出てきているともいえます。同時に米国の製品や技術を用いた製品や技術を日本から再輸出する場合にも米国法を適用し、厳格な輸出管理を行う動きが強まっています。

汎用品であっても、需要者の意図、用途によっては大量破壊兵器の生産に結び付く可能性がある国への貨物や技術の輸出には、きびしい規制がかけられます。

さらにいえば、こうした輸出規制は米国だけが導入しているわけではなく、中国も輸出管理法を施行し、米国と同じように自国技術の保護に乗り出しています。経済安全保障の確保なども視野に日本もまた適切な対応が求められています。

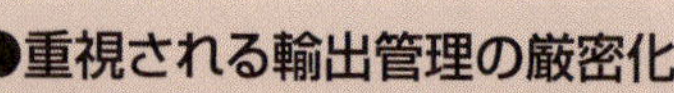


●グローバル物流におけるリスクマネジメントの充実

## 輸出管理の強化

米国

9・11同時多発テロ、米中摩擦、ウクライナ侵攻などの脅威による「グローバルロジスティクスの途絶」

グローバルサプライチェーンセキュリティの重視
経済安全保障、輸出管理などの強化

米国のみならず、中国なども輸出管理を強化の方向へ

**米国　ECRA（エクラ：Export Control Reform Act）の立法**

米中摩擦などの国際情勢に配慮して輸出管理や投資規制などを重要視し、立法化

**輸出規制品目**

(1)米国内にあるすべての品目＝原産地を問わない
(2)すべての米国原産品＝現所在地を問わない

日本での規制は、「食料品や木材」などは規制対象とはならないが、米国法ではすべての品目が規制対象となる

**「グローバルロジスティクスの円滑化」にかかる負荷の増大**

**経済安全保障【取り組むべき課題】**

①サプライチェーンの強靭化
②基幹インフラ機能の安全性・信頼性の確保
③重要技術の育成・支援
④機微な発明の流出防止

武器の輸出だけでなく汎用品の輸出にもチェックが必要になる

# 24 注目される物流無人化へ向かう流れ

## スモールスタートで庫内作業の効率化を実現！

物流現場では、手作業、手荷役が多くなったり、作業者が台車などを用いて重量物を運搬しなければならなかったりすることも少なくありません。そこで近年、手荷役などを可能な限り回避して、現場環境を改善するために、IoTデバイスの導入やAIを活用した情報システムの導入などが注目されています。まずは部分的な導入からですが、無人化の流れができあがりつつあるといえます。その流れの一環で、物流現場にAGV（自動運搬車）や物流ロボットが導入されるケースも増えています。大型化の進む物流センターで荷役作業を自動化し、効率化を進めるのです。

さらにいえばフォークリフトも無人化の方向にあります。たとえば、AGF（無人フォークリフト）を活用して夜間の出荷準備の無人化を図ります。出荷準備における無人オペレーションは次のような手順で行われます。

まず無人化システムを導入する前に、保管エリアや荷さばき場などの庫内レイアウトを無人化機器が作業しやすいように標準化、最適化します。AGFなどを導入してオペレーションのプロセスを明確化して整理する必要があるのです。

そのうえで、上層階と1階の連携についてはオートレーター（自動垂直搬送機）などを用いて物流センターの上層階で出庫し、パレットに積載した貨物を1階に降ろすことになります。そして、オートレーターの出庫口からの荷受けをAGFが行い、出荷準備エリアまで無人搬送を行うのです。

夜間に無人で行うことにより、日中の作業が円滑になると同時に物流センター全体の省人化も実現できます。加えて、ホワイトな現場環境の構築にも貢献することになります。

このように庫内作業の無人化については、まずはスモールスタートから始め、徐々に拡大していくことがセオリーになります。

**要点BOX**
- ●厳しい作業環境を機械化で改善
- ●物流現場のホワイト環境を構築
- ●夜間作業の活用でAGFの導入を推進

## 無人化の推進によるホワイト環境の構築

物流現場における手作業・手荷役

少子高齢化による労働力不足
コロナ禍による省人化のニーズ

無人化の推進への流れ

たとえば……
AGFや
AGVなどの導入

無人フォークリフト

無人搬送機

物流ロボット

**現場作業の効率化**
**ホワイト環境の構築**

まずは
夜間作業の無人化などで
現場の負荷を
軽減する必要がある

# 25 ますます巨大化する物流センターとその役割

## 拡大するフルフィルメント業務に対応

近年、物流センターの大型化の傾向に拍車がかかっています。物流センターの大型化により、自動化や無人化を目指す流れも加速していくことでしょう。

大型化の大きな理由としてあげられるのは、ネット通販への対応です。ネット通販の魅力の1つに「店舗ではなかなか見つからない商品がすぐに見つかり、手に入る」ことがあります。実店舗にはない商品もネット通販ならば検索して購入できるのです。

これは物流の現場の視点から考えてみると、「ロングテール（出荷量の少ない商品群）が多い」ということになります。実店舗ではスペースの関係上などから在庫を持つことができないロングテール在庫を大型物流センターで保管するというのが、ネット通販のビジネスモデルの特徴ともなっているのです。それゆえ、アマゾンや楽天市場などのネット通販企業は、「数万平方メートル規模のフルフィルメント業務を行う大型物流センターを運営しなければならなくなる」というわけです。

ちなみに、大型の物流センターがこれほどまでに開発されていく原動力ともなったのが「自走式物流センター」の登場です。物流センターが多層階で、各階に荷主や物流企業などのテナントが入る場合、従来型の物流センターでは上層階はエレベータを使わないと作業ができませんでした。そのためピーク時はエレベータの待ち時間に悩まされることがしばしばありました。ところが自走式物流センターの場合、各階からダイレクトにトラックで出荷できたり、納品できたりします。エレベータ待機などのムダが発生しないのです。各階を独立的に、平屋のような感覚で使うことができるようになるのです。

もちろん、土地の広い米国などではこうした自走式物流センターは必要ありませんでした。日本の土地事情に合っているということもあり、急速に普及してきたのです。

- 消費地近郊の物流拠点を重視
- 自走式の普及で効率化された物流施設
- ピーク時の手待ち時間を削減

## 自走式物流施設のしくみ

自走式物流施設ならば、各階のテナント企業が平屋感覚で施設を活用できる

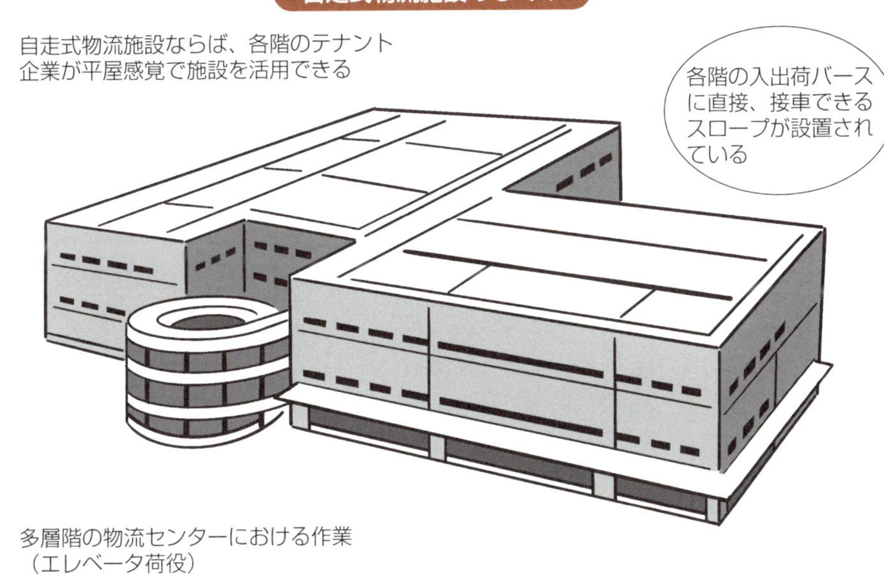


多層階の物流センターにおける作業（エレベータ荷役）

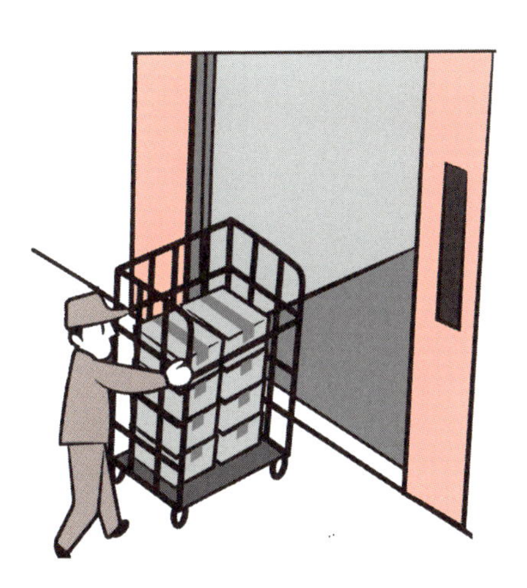

多層階にまたがる物流作業では、エレベータ前の待機などに時間がかかることもある

自走式を導入することで、各階にダイレクトでトラックによる納品が可能になる

# 26 デジタルシフトの加速で物流が変わる！

物流DXの推進で向上する作業効率

DXの導入は物流現場でも進んでいます。コロナ禍によって、多くの企業は業務形態をオンライン中心に切り替えざるを得なくなりました。受発注や在庫管理などの物流業務についても、これまでの紙媒体からデジタルデータに重点を置く必要が出てきました。さらにいえば、感染対策である3密の回避に対する明瞭なソリューションとしても、物流DXに注目が集まりました。

たとえば、業界全体、あるいは複数企業がメリットを享受できることを前提としたデジタルプラットフォーム構築型の物流DXモデルも注目を集めています。代表的な例として物流センターなどのバース予約システムがあげられます。

これまで物流センターへのトラック納品は先着順となることが多く、多くの物流センターでは順番待ちのトラックが列を作っていました。トラックドライバーの労働環境が悪化する要因でした。しかし、クラウド型のバース予約システムが登場したことで、トラックドライバーは納品の順番を事前にクラウド経由で予約できるようになりました。労働環境が大きく改善されることになります。

そして、こうして構築されたプラットフォームは、API（アプリケーション・プログラミング・インターフェース：アプリケーションのデータ連携）により、DX機能を拡張するできるようになります。そして現場でもスマートフォン端末などを使ってDXの導入が可能になるのです。個々の運送会社はシステム構築のコストや特別な研修などは必要がないため、DXを導入するソフト面のハードルは低くなります。

ただし、物流DXの導入にあたっては、「どのような効果が表れ、どのように企業が変わっていくのか」というビジョンと戦略をはっきりさせる必要があります。どのような目的でDXを行い、メリットと効果を期待しているのかを明確にすることが重要です。

**要点BOX**

- ●バース予約システム導入で手待ち時間を短縮
- ●クラウドの活用で進む物流現場のデジタル化
- ●DXのメリットを明確にして取り組む必要

## バース予約システムのしくみ

空きバースの日時、場所などをリクエストに基づいて指定する

**バース予約システム
デジタルプラットフォーム**

事前にデジタルプラットフォームに端末でアクセスして納品時間を予約する

＊優先順位などをプログラミングにより決定する特許もある

API

API

API

トラックドライバー A

トラックドライバー B

トラックドライバー C

**【メリット】**

- トラックドライバーのバース待機時間、荷待ち時間、手待ち時間を大幅に短縮できる
- プラットフォームにアクセスすることで容易に物流DXを活用できる

出典:特開2020-024630(発明者:鈴木邦成、村山要司、出願人/特許権者:学校法人日本大学)などを参考に作成

# 27 物流の視点から経営を強化

物流現場のリアルタイム情報を活用

現代経営では優秀な経営者ほど物流を重視します。物流に力を入れた代表的な経営者の1人に世界最大の小売業であるウォルマート・ストアーズの創業者、サム・ウォルトン（故人）があげられます。ウォルトンは物流のコストダウンを徹底させることで企業体力の向上を図りました。

それまでの米国の小売業では、倉庫や物流センターを販売店に商品を送る補給基地と見なしていました。まず販売網を作り、それにあわせて要所に物流センターを設けていたのです。

ところがウォルトンの発想はまったく逆でした。彼は本社よりも物流センターをまずどこに作るかということを重視しました。そして物流センターを軸に出店戦略を立てたのです。

具体的にいうと、物流センターの周辺約500㎞（300マイル）以内にしか新しい店を出さなかったのです。これはトラックの輸送時間を数時間以内に保つためでした。このやり方は「ドミナント方式」と呼ばれ、のちに日本でもセブン-イレブンなどが採用したことで注目を集めました。特定地域に集中的に出店し、配送効率を高めることによって物流コストダウンを図ったのです。

また、ウォルトンはトラックドライバーからの情報収集を重視しました。「トラックドライバーは物流センターとあらゆる店舗を連日、何度も往復する。在庫情報についても、売れ筋の商品についてもトラックの運転手は毎日、肌で感じることができる」。彼は生前、このように語っていたといわれています。

さらにウォルトンは物流とITの融合にも熱心に取り組みました。物流センターを起点として、店舗と納品各社をコンピュータで結ぶシステムの構築にいち早く取り組みました。こうした創業者ウォルトンの物流重視の経営コンセプトは、ウォルマートの経営戦略に受け継がれているのです。

要点BOX
- ●物流センターの役割を重視
- ●「ドミナント方式」で配送を効率化
- ●トラックドライバーからのヒヤリングを実践

## ドミナント方式のしくみ

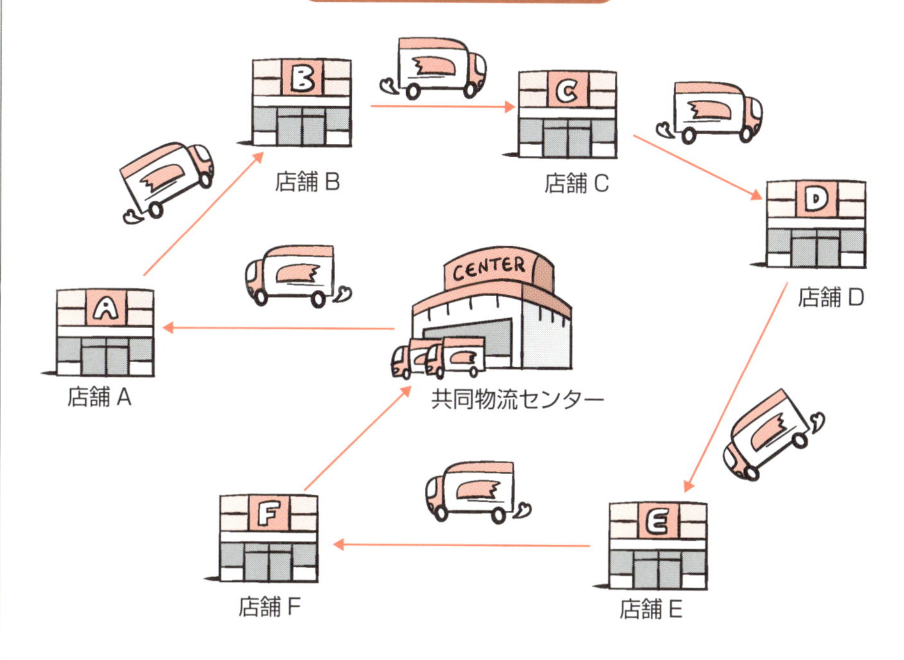




## ドミナント方式とは

米国大手流通業のウォルマート・ストアーズ、日本のセブン - イレブン・ジャパンなどが物流効率化、輸送経路適正化などを目的に導入している

同一地域に集中的に出店することで物流システムをタイトにし、コストダウンを図ることが可能になる

# 28 強まる在庫最適化を重視する傾向

## 消費地までのモノの流れをデジタル化で管理

物流センターから小売店にいたる物流プロセスにおいて、在庫をしっかり管理する必要性が高まっています。企業活動では在庫の状態はきわめて重要な意味を持ちます。

たとえば商品の売れ行きが好調でもヤミクモに増産を続ければ過剰在庫を抱える可能性は高くなります。ライバル会社が競合商品を開発、あるいは流行などが変化すれば需要は急速に落ち込みます。また商品などの在庫情報は、注文を受けたり出したりするときに更新されなければなりません。在庫管理はそうした「受発注処理」とも密接にリンクしているのです。

ただし、「物流拠点や店舗にどのくらい在庫を持つべきか」という在庫戦略を綿密に練ることは容易ではありません。多くの企業が悩まされています。

一見、容易なことにも思えますが、実務となると相当な手間がかかることが多々あるのです。なぜならば「企業全体のバランスを考えると必要のない在庫でも、各部署にとっては在庫を抱えるほうが業務を進めやすい」というケースが少なくないからです。

「どのようなタイミングで商品などを補充していくか」も、在庫戦略の大きなポイントとなります。生産地から消費地までのモノの流れと在庫戦略とデジタル化による一連の情報管理を巨視的、効率的に管理する必要性があるのです。ヤミクモに「在庫量を増やせばよい」というわけではありません。

また一言で在庫といっても、たとえば製品在庫、仕掛在庫、安全在庫、返品在庫など、さまざまな概念があります。サプライチェーンのプロセスにおけるそれぞれの在庫の特徴をしっかりとつかんでおく必要もあるのです。

さらにいえば現代経営における物流管理ではリアルタイムでの在庫の可視化、在庫管理の綿密化などもますます重要になってきています。

**要点BOX**

- ●物流プロセスにおける在庫の特徴を把握
- ●受発注処理とのリンクを重視
- ●リアルタイムでの在庫の可視化を推進

## 「在庫」とは何か

将来の必要なときに備えて保管している物資・物品など

スーパーなどの店舗のバックヤードにも必要に応じて在庫が置かれる

# 29 SDGsの視点から物流戦略を策定！

## サステナブルな物流ネットワークの構築

SDGs（持続可能な開発目標）の視点から地球温暖化が注目され、物流における環境負荷の低減が推進される傾向が強くなっています。地球温暖化の要因として指摘されている$CO_2$排出量の削減を物流企業が実現する方法として、いくつかの有力な対策があります。

まず、トラック輸送のみに頼らず、鉄道や船舶を組み合わせたモーダルシフト輸送や複数企業が貨物を混載する共同物流などが導入される事例も数多く報告されています。

また、ピース単位、ケース単位の輸送、保管からパレットを活用した輸送、保管に切り替えることで、荷捌き、荷積み、荷卸しなどの作業時間、手待ち時間などを短縮します。これによって直接的、あるいは間接的に$CO_2$排出量を削減できます。

さらに「グリーンロジスティクス」では調達から生産、販売、消費、回収、解体、破砕にいたる、商品のライフサイクルに関わる一連の戦略的なモノの流れに$CO_2$削減などの視点から配慮します。たとえば、分解しやすい商品や破砕しやすい部品やしくみを用いた商品を開発します。

調達についても、環境にやさしい資材、部品を購入するグリーン調達を実践します。

生産にあたっては「ゴミを持ち込まない」「ゴミを出さない」というゼロエミッションを念頭に置きます。

包装や流通加工においても過剰包装や廃棄物が出ないように極力、注意します。商品の輸送にあたってもエコドライブを実践します。

もちろん、ESG（環境・社会・ガバナンス）情報を十分に開示して、CSR（企業の社会的責任）報告書などの環境物流関連の記載の充実を図ることも大切です。加えて、静脈物流部門についても戦略的に構築します。回収からリサイクルセンターでの分解、解体、破砕のプロセスの最適化も推進するのです。

- ●$CO_2$排出量の大幅な削減に対応
- ●ESGを重視したロジスティクス戦略を展開
- ●CSR報告書の環境物流の記載を充実

## SDGsに配慮した地球環境にやさしい物流の推進

SDGsの考え方をふまえた環境対策が物流システムの構築にも必要になっている

**SDGs**

地球温暖化や気候変動に対する国際的な枠組みである
パリ協定などに配慮する

**「地球環境にやさしい物流」の推進**

- ＥＳＧ情報を十分に開示
- ＣＳＲ報告書などの環境関連の記載の充実

- モーダルシフト輸送
- 共同物流
- グリーンロジスティクス
- パレット荷役の導入
- 静脈物流の戦略的構築　など

**$CO_2$排出量の大幅な削減を実現**

グリーンロジスティクスを実践して、$CO_2$排出量削減を推進する必要がある

# 30 循環型社会の構築の視点から物流を重視

リサイクル、リユースの効率化をふまえ、静脈物流を戦略的に構築

モノの流れを商品の設計、開発から回収、リサイクルまで広くとらえ、その全体をグリーン化していくというのが次世代につながる大きなビジネストレンドとなっています。ちなみに商品の回収から分別、解体、破砕にいたるプロセスは静脈物流といわれてきました。商品の生産、流通、消費までの流れを血液の動脈の流れと比喩するのに対して、回収プロセスを血液の静脈の流れと比喩しているのです。

さらに「グリーンロジスティクス」では調達から生産、販売、消費、回収、解体、破砕にいたる、商品のライフサイクルに関わる一連の戦略的なモノの流れに、環境共生の視点から配慮します。

たとえば、商品の設計、開発の段階から分解や破砕の手間を考えます。分解しやすい商品や破砕しやすい部品やしくみを用いた商品を開発するのです。

また調達についても、環境にやさしい資材、部品を購入します。これをグリーン調達といいます。

生産にあたっては「ゴミを持ち込まない」「ゴミを出さない」を基本にします。これはゴミゼロ工場と呼ばれています。包装や流通加工においても過剰包装や必要以上の廃棄物が出ないように極力、注意します。

商品の輸送にあたってもエコドライブを実践します。エコドライブとは輸送にあたってムダな燃料を消費しないようにするなど、環境に配慮した運転を行うことです。アイドリングストップの励行などもそうです。ドライバーも環境教育を施された「グリーンドライバー」である必要があります。

消費者も環境に配慮した商品を購入する「グリーンコンシューマー」となるように、環境報告書の充実などにも気を配ります。環境報告書には物流グリーン化についての記載も詳細に行います。

加えて、静脈物流部門についても戦略的に構築します。回収からリサイクルセンターでの分解、解体、破砕のプロセスの最適化を図るのです。

**要点BOX**

- ●注目を集めるグリーンロジスティクス
- ●グリーンコンシューマーへの環境教育を重視
- ●グリーン調達やゴミゼロ工場を推進

## 環境関連法規の枠組み

気候変動枠組条約国際会議（COP）

地球温暖化防止京都会議（COP3）

京都議定書

環境基本法

$CO_2$ 排出量取引の国際市場の形成へ

パリ協定が後継

| 地球環境温暖化対策推進法 | 循環型社会形成推進基本法 | 大気汚染防止法 | 振動規制法 | 騒音規制法 | 悪臭防止法 |
| --- | --- | --- | --- | --- | --- |

$CO_2$ 排出権取引などとも関係

容器包装リサイクル法
家電リサイクル法
食品リサイクル法
建設リサイクル法
自動車リサイクル法

静脈物流

地球環境にやさしいトラック輸送の必要性



## グリーンサプライチェーンのスキーム

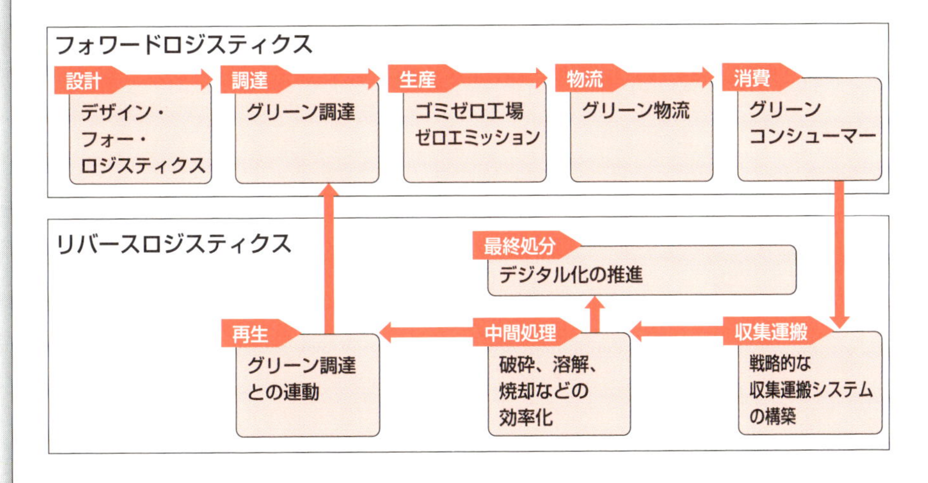

# 31 デジタルシフトで進む物流の可視化

## 帰り荷を効率的に確保

工場から物流センターへトラックが納品し、入荷、格納、保管、出荷という一連の庫内作業を経て、店舗、営業所などへ配送されていきます。これが一連の物流工程となります。

ただし、その流れのなかで扱われる出荷情報や流通在庫情報を適切に把握していくことは、これまで容易なことではありませんでした。しかし、アナログからデジタルに情報伝達の媒体がシフトしていくなかで、サプライチェーン全体における情報共有のハードルは下がってきました。

たとえば、内閣府、国土交通省などが推進しているSIP（戦略的イノベーション創造プログラム）スマート物流サービスの研究項目に「物流・商流データプラットフォーム」があります。貨物情報、輸配送状況などの物流情報や決済などの商流情報を業界共通のデジタル化されたプラットフォームで一元管理していくという構想です。

また、トラックと荷物のマッチングシステムである求荷（貨）求車システムもこれまで以上に進化して、デジタル物流プラットフォームの一角を担うビジネスモデルとして注目されています。

たとえば東京から大阪までトラック輸送を行う場合、大阪で荷卸しをしたあと、東京までの帰路は通常、空荷になります。しかし、大阪で東京までのトラックを探している顧客が見つかれば、復路も荷物を積めます。帰り荷ということであれば運賃が比較的安くてもコスト面でマイナスにはなりません。輸配送の進ちょく状況管理などをデジタルで管理することも可能になります。業務用携帯端末などを用いて、インターネットを介して、情報の共有などを進めて、物流現場の状況に柔軟に対応していきます。

これまで以上の規模とレベルでモノと情報がリアルタイムでリンクし、効率的に使いこなせる環境が整備されてきているのです。

**要点BOX**

- ●リアルタイムで物流・商流情報を一元管理
- ●デジタルプラットフォームの構築を推進
- ●入出荷情報、在庫情報を重視

## 進化する求荷求車システムのしくみ

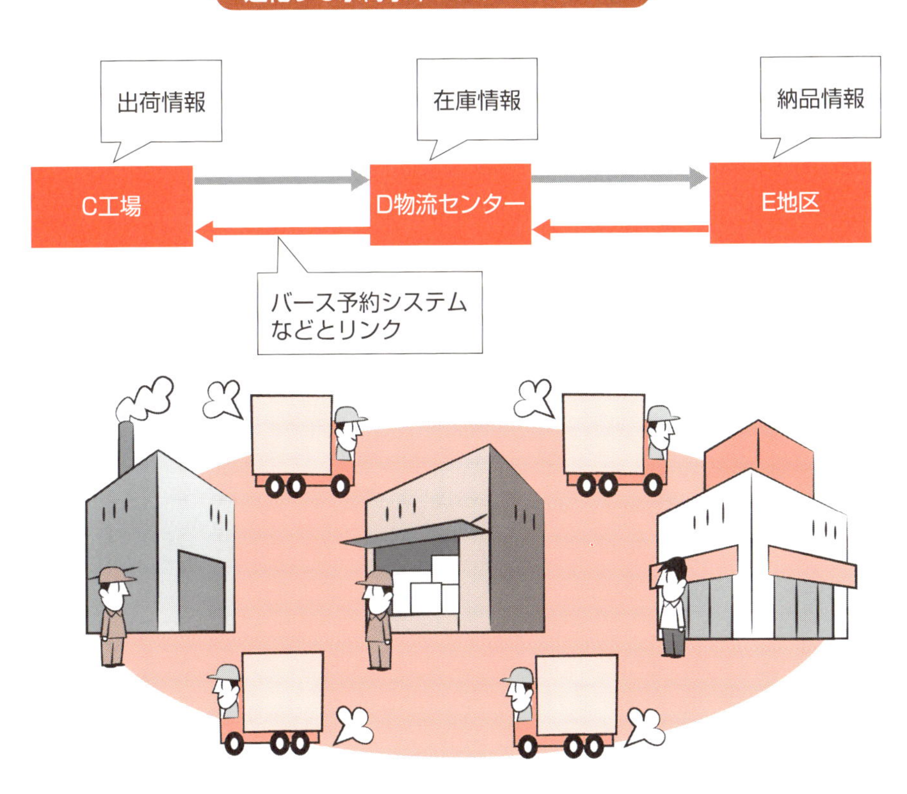


●物流デジタルプラットフォームとしてトラック経路・貨物情報を追跡

●工場から物流センター、営業所、最終消費者にいたるサプライチェーン全体での情報共有の基盤

# 32 AIの活用で効率化が期待される物流現場

## 画像認識システムの活用で庫内作業を効率化

AIの活用は画像認識の分野で進んでいます。ディープラーニング（深層学習）の手法を用いて、数多くのデータから人間やモノの識別を瞬時に行えるようになってきています。

そして画像認識の技術は物流へも応用されています。たとえば、検品システムに導入することで、早く柔軟に作業を行うことが期待されています。

物流における入荷検品、出荷検品の作業は目視、またはバーコードをスキャナーで読み取るかたちで行うことが一般的です。またRFID（非接触タグ）が導入されている現場もあります。

しかし、バーコードの貼付やRFIDタグの装着が難しい特殊な形状の貨物も存在します。そうした貨物を対象にした、画像認識を用いる検品システムの導入が有力視されています。目視以上に迅速かつ正確に検品を行うソリューションとして期待されているのです。

さらにいえば品質検品についての導入も効果的とされています。たとえば、ワインのビンを検品し、異物の混入をチェックする作業は難易度が高く、熟練の作業者でないと難しいとされています。しかし、画像認識システムを導入すれば、作業者の負荷を軽減しつつ微細な混入物を発見できるようになるなど、正確に作業を行えるのです。

画像認識システム以外にもAIを活用することで、庫内のレイアウトや動線、在庫ロケーションの最適化などを行う事例も増えてきています。庫内に設置したカメラ、センサーなどでデータを収集し、「庫内作業がどこで滞留しているか、どのような手待ちや荷待ちが発生しているのか」「歩行のムダはあるのか」といった分析を行い、改善を進めていきます。

物流現場のなかでも、これまで数値化、理論化、さらには効率化が難しかった領域にAIを導入することで、解決の道筋が見えてくるでしょう。

**要点BOX**

- ●画像認識システムの導入で作業負担を軽減
- ●合理的な作業指示で庫内作業の省人化を推進
- ●作業動線や庫内ロケーションの最適化を実現

## AIによる物流現場の最適化

物流現場

画像認識システム
庫内レイアウトの最適化
動線管理などのAIの活用

検品、庫内レイアウト・ロケーション、
動線分析などを画像レベルで掌握

庫内レイアウトのデータ最適化に必要な作業動線の分析などが可能になる

AIを活用することで、作業標準化を円滑に達成

物流現場の最適化の実現

# 33 物流作業の標準化を目指す潮流

## 物流DXの導入の大前提としても注目

標準とは「与えられた状況において最適な秩序を達成するための諸活動や成果に関する規則、指針に関する取り決め」のことです。そして「意識的に標準を作って活用する行動」を標準化といいます。標準化は大きく分けて、「作業ツールなどの標準化」と「作業手順などの標準化」として実践されます。

標準化はさまざまな分野で行われています。物流活動における標準化は、高度なロジスティクスを実践していくうえでの不可欠なインフラストラクチャー（社会基盤）と考えられるようになってきました。標準化が行われなければ、輸配送、保管、梱包などの効率が上がらないというケースが出てくるのです。また、IoTデバイスやDX端末を円滑に導入するうえでも、作業やツールの標準化を徹底させていくことが重要になります。

実際、物流センターの一連の作業手順や作業ツールなどの標準化を推進することで、作業プロセスの品質を一定以上に保てます。最近では、外国人労働者、高齢者、女性など、今まで物流業界で働いていた層とは異なる作業者が増えてきました。物流プロセスがボトルネック工程とならないように、より一層の標準化を進める必要が出てきました。「作業者によって時間や手順が異なる」といった仕事量のバラツキを、標準作業時間や標準業務量などを設定することでなくし、標準的な物流品質を高いレベルで保つことを目指します。各作業者間で発生するバラツキを最小限に抑えていくのです。

ちなみに標準化を進めるにあたって、工場や物流センターの場内、庫内作業の一連のプロセスを確認しておくことが重要です。そのうえで各作業について標準的な作業手順、作業時間などを設定していきます。標準化を進めていくうえで、「どのような指標により標準化や改善の進ちょく度を評価していくのか」ということも決めておく必要もあります。

**要点BOX**
- ●「多様化する作業者」に標準化の推進で対応
- ●標準作業時間を設定し、物流現場のムダを改善
- ●物流プロセスのボトルネックを解消

## 物流における標準化の推進

### 標準化

| 物流ツールの標準化 | 物流作業の標準化 |
| --- | --- |
| （例）<br>段ボール箱などの物流容器、<br>台車などの運搬機器、<br>ラックなどの保管機器 | （例）<br>入荷検品の手順、ピッキング作業の順路・手順、仕分けの手順、出荷検品の手順、梱包の手順など |

標準化を実現することで、IoTデバイスやDX端末の導入もスムーズになる

異なるバックグラウンドの作業者が違和感なく働くためにも標準化が必要

検品、ピッキング、仕分け、梱包などに標準作業時間や標準業務量が設定されることで作業効率が向上する

# 34 平準化の推進で作業量のバラツキを解消

物流現場の作業に関わるムラを解消

物流業務における平準化を定義すると「作業量や作業時間のバラツキ、ムラなどを解消し、均一の仕事量や作業時間で所与の作業を行うこと」となります。作業量、作業時間などのムラを可能な限り、取り除いていくのです。そして平準化を図るためには「各作業の分量がどれくらいでどれくらいの種類があって、どれくらいの作業頻度と作業量で処理すれば均一化されるか」を知る必要があります。物流の平準化の根幹となる考え方は「種類の平準化」と「量の平準化」の2つに分けられます。

「種類の平準化」は、物流では取り扱う物流容器の種類のバラツキを整えることから行われます。たとえば、同一製品にもかかわらず、パレット単位、段ボール単位、ピース単位で入荷するような場合、入荷処理が複雑になってしまいます。フォークリフトで荷役を行ったり、手荷役だったり、台車などを複雑に併用したりすれば、現場作業も複雑になり、作業時間のバラツキも大きくなります。作業時間が早朝などに偏ることも可能な限りなくしていきます。

「量の平準化」では一定期間当たりの物流量を一定量とすることを目標とします。物流量のバラツキを揃えて均一化することで、受け入れる量のバラツキを可能な限りなくしていくのです。さらにいえば、量の平準化は物量が平準化されればよいというものではなく、その物量の処理にかかる作業時間の平準化も意識しています。

もっとも、作業時間の平準化は物量の平準化のみでは実現できません。作業者の作業手順や技量などにバラツキや偏りが出ないようにする工夫も必要になってきます。「どのような手順でどれくらいの技量でどのくらいの作業時間でこなせばバラツキがなくなるのか」を念頭においた作業時間の平準化も必要になってくるのです。もちろん作業時間だけでなく作業量についてもムラが出ないように調整する必要があります。

要点BOX

- ●物流量の可能な限りの均一化を推進
- ●均一の作業量で一連の物流工程を管理

## 平準化のしくみと実現

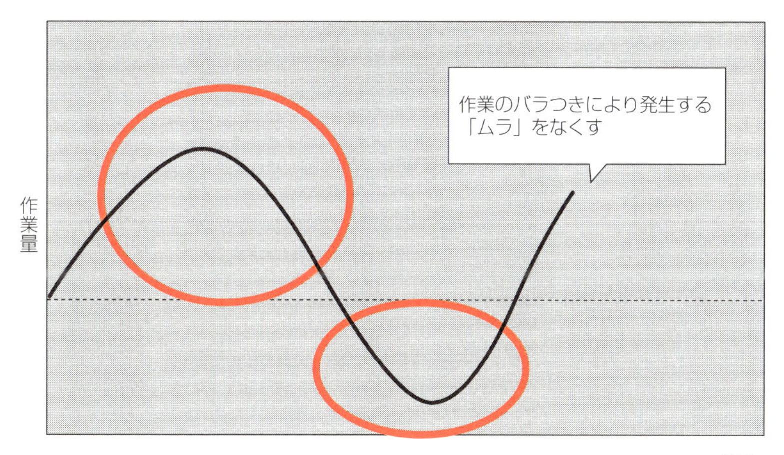


## 平準化の実現

作業量や作業時間が平均化されることで標準作業時間
などの設定も容易になる

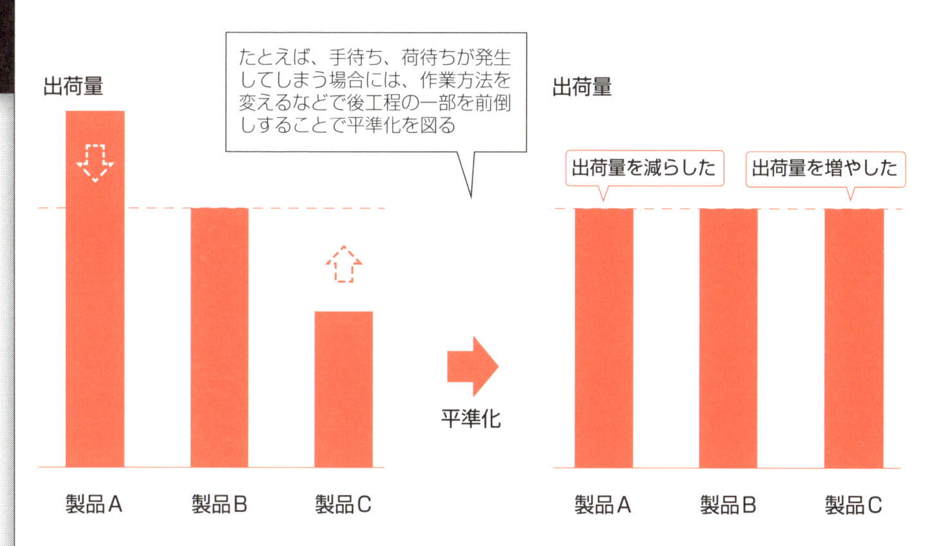


製品ごとの出荷量を同量に調整したため、作業が進めやすくなる

Column

# 保管効率の向上を図る

物流倉庫の保管レイアウトを考えるうえで重要なポイントに「荷繰りと荷探しをなくす」ということがあげられます。荷繰りとは、ある保管品を取り出す際にその保管位置の手前にある物品を、一時的に別の場所に移動させることなどを指します。すなわち、意味のない仮置きのことです。

また、荷探しとはその名の通り、「荷物を探す手間」のことです。「どこに保管物があるのかわからない」という状態では入出庫処理やピッキング作業が円滑に進みません。「どこに何が保管されているかが瞬時にわかり、それをスムーズに出し入れできる」というのが最善の保管状態といえるでしょう。

たとえば段ボール箱で保管物を段積みしておくと、最初に定めた保管場所以外の通路などに、一時的に別の保管物を置かなければならなくなります。そうなれば通常の保管品を取り出す場合には手前の通路の物品を一度、移動させる必要が出てきます。

しかしこれでは通路の物品を扱うのに必要な移動時間が相当なものになってしまいます。また、通路が死角になって「保管物がきちんとそこにあるか」どうかがわからなくなることもあるでしょう。

時間がかかると、作業者の残業代などがかさんでしまうことにもなりかねません。フォークリフトが通路に入ることができなくなりますから手荷役を余儀なくされ、作業効率も悪くなります。かといって通路に保管物を置かないようにするとピッキングに手間がかかり、場合によっては危険な高積みをすることになってしまうかもしれません。

こうした保管の非効率性を改善する対応策として、固定ラックの導入があげられます。固定ラックを導入することによって、たんに段積みするよりも保管効率を向上させられます。もちろん、作業時間も大きく減少します。

第4章

# さまざまな業界の物流のしくみ

# 35 調達物流、生産物流が軸の自動車のロジスティクス

## 緻密な計画に基づいて組立工場に納入

自動車が生産されるまでの物流の基本的なスキームは次のようになります。

自動車のさまざまな部品は、自動車メーカーと取引のあるサプライヤー（部品供給元）のパーツセンターから自動車メーカーの工場倉庫、あるいは工場の作業現場に直接納入されます。緻密な生産計画に基づいているのです。ただし、一部の部品は自動車メーカーの工場に直接納入されず、別の部品メーカーの工場や倉庫などにいったん納入されてから、自動車メーカーの組立工場に納入されることもあります。

調達される部品はパーツセンターなどを経て、生産計画に基づいて組立工場に出荷されることが多くありました。しかし近年では、パーツセンターで別に入荷する関連部品と組み合わされたうえで組立工場に出荷されるというケースも出てきました。組立工程の一部をパーツセンターで行うことにより、組立工場における手間を省けるのです。

自動車メーカーの多くは部品供給、組立の段階まではジャストインタイムなど、可能な限り無在庫に近い管理を目指します。ただし、販売会社を通して完成車をマーケットへ供給するにあたっては、「ある程度の在庫を持たなければ市場競争に勝てない」という考えに基づいて、適正在庫レベルを設定しています。

もっとも、自動車業界のサプライチェーンは、ガソリン自動車から電気自動車（EV）へのシフトが進む状況下で、大きく変わろうとしています。ガソリン自動車には、一台当たり2～3万点にもおよぶ部品が使われているといわれています。電気自動車にシフトすれば、部品数が大幅に削減されます。生産工程の簡素化が物流に影響することになるかもしれません。調達物流を中心に大きな変化が発生する可能性もあります。自動車のサプライチェーン全体にも大きな変革の波が押し寄せることになるかもしれないのです。

**要点BOX**

- ●電気自動車へのシフトで変革するサプライチェーン
- ●部品ごとに適正在庫を設定

## 自動車関連の物流のイメージ

自動車部品のパーツセンター

自動車メーカーの生産スケジュールに合わせて納入管理、在庫管理を行う。仕入先からのトラック便の積載率を高める工夫なども行われている

タイヤの保管

雨や高温多湿に注意。適切な保管方法をとっていたとしても、長期保管の場合は再検査が必要となることもある

自動車の輸送

車両運搬車（キャリアカー）による輸送が行われる。鉄道で輸送する場合は「車運車」と呼ばれる専用貨車を用いる

# 36 ネット通販シフトを強める家電量販店

## メーカーと共同で物流スキームを構築

かつて家電メーカー各社は自らの販売ネットワークを持っていました。自社家電のみを扱う系列店舗を全国的に抱え、そのネットワークを通して価格をコントロールし、商品を供給していました。したがって物流も家電メーカー起点で構築されていました。

しかし、家電量販店が躍進するようになると、それまでの各家電メーカーの販売ネットワークよりも、家電量販店を起点とした物流システムにシフトしていきました。まず、各家電メーカーの自社工場から自社物流センター（ディストリビューションセンター）を経て、家電量販店の運営する物流センター（トランスファーセンター）に商品が運ばれます。それぞれの家電メーカーの商品が家電量販店のトランスファーセンターで荷合わせされたうえで、各店舗に納入されるしくみです。

近年は、家電量販店の物流センターへの納入についても共同一括納入が推進されています。家電メーカーと家電量販店が共同で物流スキームを組み立て、コスト削減と環境負荷の低減を念頭に入れたしくみを作っているのです。共同納入を行うことで、トラック台数を削減したり、積載率を向上させたりできます。またトラックドライバー不足を補うこともできます。

コロナ禍以降、家電もネット通販の比重が高まってきました。冷蔵庫、洗濯機、エアコンなどの大型家電は店舗でのスペース確保には限界があります。しかし、物流センターから消費者へのダイレクトの配送ならば、ロングテール在庫を抱えて、豊富なバリエーションにも対応できます。消費者の希望があれば、設置や組み立てを行うこともあります。

また家電の物流を考える場合、季節性を考慮する必要がある商品の配送や在庫管理も重要になります。たとえばエアコンなどは夏を間近に控えた時期に、配達にあわせて、取り付け作業が集中します。したがってピーク時の人材確保なども求められることになるのです。

**要点BOX**

- ●集中する出荷時期に適応した配送の実現
- ●共同一括納入で効率化、コスト削減を推進
- ●ネット通販の需要に合わせた物流を展開

## メーカーと量販店の協力

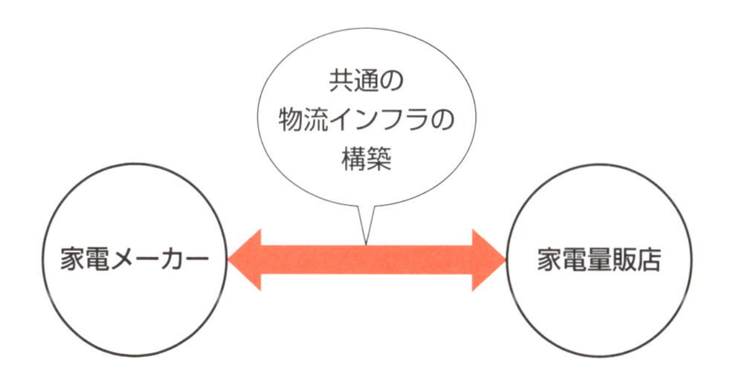


## 家電を扱う物流センター

家電業界においても、メーカーごとの店舗納入方式からリテール主導の共同一括納入システムへの転換が進んでいる

37

# GDPで変わる医薬品の物流

## 緻密な温度管理、品質管理を重視

製薬メーカーで製造された医薬品は、メーカーの物流センターにいったん保管されてから卸売業の物流センターを経て、商店街の個人薬局やドラッグストアなどに納入されます。メーカーの物流センターから直接、ドラッグストアなどに納入されることもあります。

医薬品の場合、一般的には在庫がどうしても多めになりがちという特徴があります。これは欠品が人命の危機につながるリスクを可能な限り低くするためです。したがって、「在庫は悪」という考え方は医薬品に限っては必ずしも当てはまるわけではないのです。

ただし、棚卸が不正確だったせいで誤出荷、誤納入などが起こるとすれば、それが人命にとって重大事となるケースも考えられるので、在庫精度にはことのほか気を遣うことになります。また医薬品の品質についても劣化などが起こっていてはたいへんな問題となることもあるため、十分な注意が必要になります。たとえば新型コロナウイルスのワクチンなどについても、迅速な輸送体制と緻密な温度管理が要求されました。

そして医薬品の適正流通（GDP：グッドディストリビューションプラクティス）のガイドラインでは、医薬品物流の標準化がより一層進んでいます。GDPは医薬品が製造工場を出荷した後、患者の手元に届くまでの流通プロセスにおける品質保証を目的とした指針です。GDPにより温度管理、流通プロセスの適正管理、偽造医薬品の防止などを徹底します。医薬品輸送のGDP対応を進めるため、センサーによって温度、湿度をリアルタイムでモニターし、通信を用いて見える化を推進するのです。

さらにいえば医薬品倉庫や冷凍冷蔵車などには、一定の容積の空間温度の分布状況を調べる温度マッピングも不可欠となります。開閉の多いドア付近などの温度の変化が大きくなることがあるからです。

徹底した温度管理を前提とした、高品質なサプライチェーンの構築が求められるのです。

**要点BOX**
- ●効率的なワクチン輸送のしくみを確立
- ●パンデミックに対応した迅速な出荷体制の構築
- ●GDPで進む医薬品物流の標準化

## 医薬品の物流のしくみ

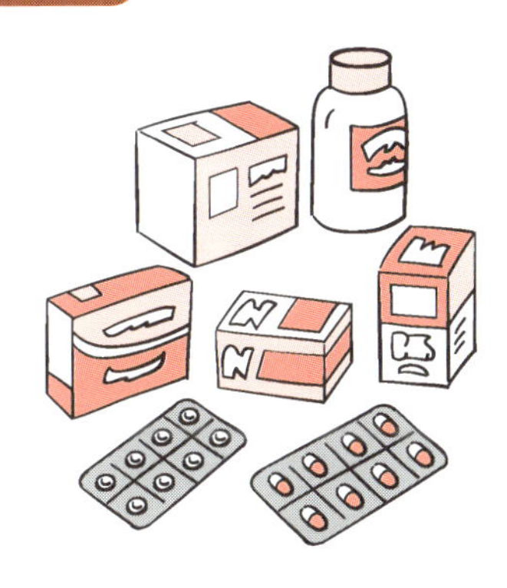

多頻度小口型で欠品を発生させないように在庫管理を行う必要がある

新型コロナウイルス、インフルエンザなどのワクチン輸送も重要

緊急出荷にいつでも対応できる出荷体制、輸送体制の構築が重要である

## 医薬品の物流のポイント

- 品質管理の徹底
- 温度管理（たとえばワクチンは2℃～8℃）
- 綿密な在庫管理（欠品が発生しないように対応）
- 誤出荷を起こさないための入念な検品体制
- 多頻度小口配送に対応した出荷体制
- 迅速かつタイムリーな出荷体制

# 38 温度管理や鮮度管理が重視される食品業界

## 拡大するフードデリバリービジネスにも対応

食品流通におけるサプライチェーン上の一連の流れ、すなわち川上の農業から川中の食品製造業、食品卸売業、川下の食品小売業、外食産業にいたる流れは、しばしば「フードシステム」と呼ばれています。

食品におけるサプライチェーン全体での温度管理が「コールドチェーン」の名のもとに行われることもあります。もちろん物流についてもフードシステムの概念を十分にふまえたうえで構築されています。

たとえばトレーサビリティ（追跡可能性）の充実などにも川上の農業から川下の外食産業まで、フードシステム全体の情報の流れを物流システムに結び付けて構築するという考え方が組み込まれています。

また、フードシステムの一連の物流システムの中で近年注目を集めていることの1つに、鮮度に配慮した生鮮食品などの温度管理を伴った在庫マネジメントの問題があります。物流システムは保管効率、輸送効率、荷役効率を考えながらムリ、ムダ、ムラなく構築される必要があります。そして食品の場合も、たんに効率のよい物流を実践すればよいという単純なソリューションではなく、鮮度管理とそのための温度管理が重視されています。さらにいえば、食の安全の視点から衛生面や鮮度が物流効率に優先されることも少なくありません。いかに効率よく保管、輸送されていたとしても、鮮度が落ちてしまったり食べられなくなってしまったりしてはならないからです。

加えて、コロナ禍以降は、フードデリバリーサービスも普及し、調理後、迅速に配送するというサービスも普及しています。ただし、調理済みの食品は定められた適切な温度管理で、必要に応じて保冷・保温ボックスを使用する必要があります。

一概に食品業界といっても、販売を行う小売業の業態が変われば対応も異なってきます。ただしいずれにせよ、緻密なコールドチェーンを基盤とした温度管理や鮮度管理が大きなポイントとなるのです。

- ●コールドチェーンにおける温度管理を徹底
- ●重要性が高まる食品トレーサビリティ
- ●生鮮食品の在庫マネジメントを充実

## 食品を扱う冷蔵倉庫

入庫

### 冷蔵倉庫の管理の原則

①冷蔵保管エリアへの入庫に際しては、常温の物品以上に迅速に作業をする
②なるべく外気に触れさせない。外気に触れたまま長時間が経過すると、食品などの品質が変化してしまうリスクが出てくる
③必要に応じて保冷用のカバーなどもかけるようにする
④入庫後は即座に冷やす。物品の乾燥にも注意
⑤先入れ先出しを徹底
⑥床に直接、平積みは避ける

保管

流通加工

出荷

温度帯別の緻密な商品管理体制を構築。「食の安全」の視点から品質管理、衛生管理もさらに充実の方向

**用語解説**

トレーサビリティ：国際標準化機構（ISO）の定義は、「記録物を通して、ある物品や活動についての履歴とその使用状態、またはその位置などを検索する能力」。生産・流通・加工・販売などの履歴を明らかにして商品を購入した最終消費者に対するリスクを回避し、同時に商品に新たな付加価値を加え、差別化を図ることを目的としている

# 39 共同物流システムを推進する日用品業界

## 多頻度小口納品の増加に対応

日用品とは、日常生活に使用する洗剤やトイレタリー用品、キッチン用品などのことです。一般に日用品はメーカーから卸売業などを経由して、ドラッグストアなど小売店の店頭に並びます。多頻度の小口発注やバラ納品が基本となります。

日用品業界では他業界に先駆けて、共同物流の導入が進みました。ライオン、十條キンバリー（現：日本製紙クレシア）、ネピア（現：王子ネピア）、エステー化学（現：エステー）などが物流量の増加に対応し、多頻度小口納品の増加によるトラック輸送の積載率低下に歯止めをかけることを目的に導入したのです。「競争は店頭で、物流は共同で」を合言葉に、環境にやさしく、物流コストの低減にも大きく寄与する共同の物流センターの運営を始めたのでした。

さらに『日用品における物流標準化ガイドライン』により、①外装表示の標準化、②パレットの標準化、③納品伝票の標準化の3項目について、物流標準化の考え方と指針がまとめられました。

外装表示の標準化では、商品を特定するのに必要な情報を表示する外装にITFコード（物流用バーコード）などを表示する方法や、パレットの積み付けパターンを細かく取り決めてあります。

パレットの標準化については荷役作業の効率化を念頭に、標準寸法やパレット荷姿（ユニット）の高さや最大総質量を設定してあります。

納品伝票の標準化については、視認しやすさを念頭に「業際統一伝票」を設計しました。当面は紙媒体での納品体制を念頭に置いていますが、将来的には物流DXの観点などからペーパーレスを実現することにもなるでしょう。

日用品業界が一丸となって、共同物流の基盤の上で物流標準化を推進していくことで、物流コストの低減と物流効率のさらなる向上を実現していこうというわけです。

**要点BOX**
- ●外装表示の標準化を推進
- ●パレットの積み付けパターンを細かく設定
- ●多頻度小口発注にあわせた納品体制

## 日用品業界の物流

シャンプー、コンディショナー、石けん、
ハミガキ、ティッシュなど

適正在庫量を考慮し、売れ筋商品や定番商品の在庫切れ、過剰在庫などに注意する

## 共同物流の類型

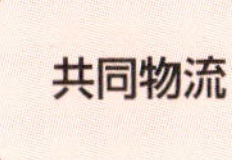

・積み合わせ配送が可能な同業界の商品が対象となる
・輸配送などの条件が共通するため、共通基盤を構築しやすい

### ②異業種・異業界企業による共同物流

ピーク時期や季節流動が異なる商品などを組み合わせて
共同配送や共同保管などを推進

# 40 ネット通販へのシフトに対応するアパレルの物流

季節波動や流行波動に適切に対応

アパレルの物流は一般に、季節波動や流行波動に適切に対応する必要があるとされています。トレンドや季節性などに左右される商品が多く、膨大な数に及ぶ取扱品目の在庫レベルを最適化しなければなりません。商品特性は、比較的需要が予測しやすく、在庫管理にかかる負荷の小さい定番系商品と、需要予測が難しく在庫管理が難しい流行系商品に二分され、それぞれについて物流戦略を緻密に構築することが求められます。

しかし、多品種少量で短サイクルのサプライチェーンに対応せざるを得ないために、全体最適の実現が難しくなってもいます。

日本で販売されるアパレル商品の多くは、海外からの輸入に頼っています。アパレル商品を海外の生産拠点にある現地倉庫に保管し、出荷依頼を受けて、現地の検品センターなどを経て、さらに日本国内の物流センターなどを経由し、小売店舗などに納入されるのです。海外の物流拠点から直接、日本国内の小売店舗に納入されることもあります。百貨店などでは複数のブランドが一括納品するシステムが構築されています。

アパレル特有の物流システムに、スーツなどをハンガーに吊るしたまま運ぶ「ハンガー物流システム」があります。また縫製工場で使った仮縫いの針が残っていないかどうかをチェックする検針も、アパレル物流特有の作業です。目視では発見が困難であるため専用の検針機を使います。通常は複数回、機械に対象物品を通すことになります。

近年は、コロナ禍などをきっかけに、生産拠点の国内回帰の流れが強まってきています。さらに、実店舗からネット通販に消費者の関心や需要が移りつつあり、その流れにあわせて、ロングテールにも対応したネット通販向けのアパレル物流センターの運営にもこれまで以上に大きな注目が集まっています。

**要点BOX**
- ●複数ブランドの一括納品体制を構築
- ●多品種少量で短サイクルのサプライチェーン
- ●アパレル業界特有の「検針」「ハンガー物流」

## アパレルの物流センターのしくみ

### ハンガー物流システム

＜アパレル物流において背広、コートなどをハンガーにかけたままで保管、輸送する方法＞

### 検針

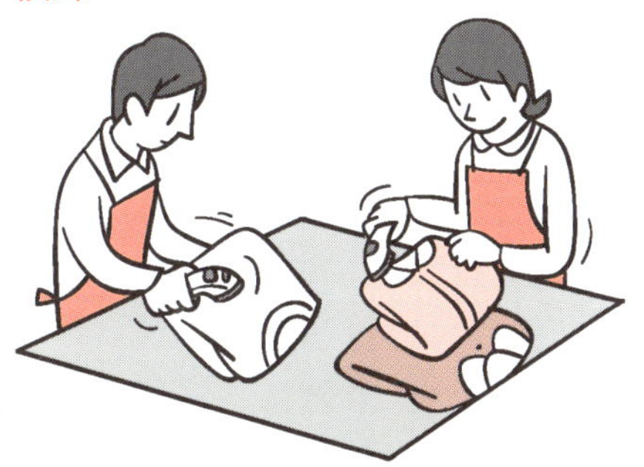

＜縫製工場（生産工程）で使用した縫い針、待ち針などの取り逃がしがないかを物流センターなどでチェックする＞

検針機（コンベヤ型）

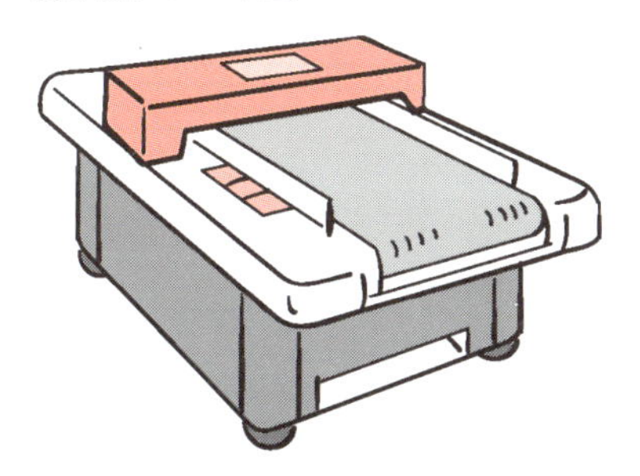

検針機（ハンディ型）

# 41 ニューノーマル時代の卸売業の物流戦略

## デジタルシフトの急加速に対応

近年、「卸売不要論」が声高に叫ばれています。インターネットなどを介して製造業と小売業が結び付いたことで、卸売業の存在意義はますます薄らいでいるともいわれています。製造業も小売業も、企業システムのなかに卸売業の機能を組み込む内製化を進める傾向も強まっています。

他方、生き残りをかけて、大手卸売業は複数の物流センターを集約し、大規模で最新鋭の物流センターの運営に乗り出しています。小売業のニーズに迅速に対応できる物流システムを確立する動きを各業界で展開しているのです。

たとえば食品・酒類の総合卸売業最大手の国分は、中間流通の高度化と最適流通に取り組んでいます。

また、加工食品卸売業大手の三菱食品でも「小売業の繁栄」に直結する物流システムの構築、充実を戦略の基軸においています。同社ではメーカーの商品を小売業の注文に応じて配送する通常タイプの物流センターのほかに、手間とコストがかかる商品の小分け作業、ピッキング作業を集中的に行うタイプの物流センターを設けて小売業の需要に対応しています。

従来型の物流センターでは店舗側の注文に応じて商品が配送されます。しかしそれではロットや荷姿がそれぞれ異なる加工食品の場合、店舗側は配送された商品の小分けなどにかなりの手間とコストがかかることになります。そこで小売業の負担を軽減すべく、卸売業の物流センターでそれぞれの店舗が必要な分量を必要な時期に納品できるよう、事前に小分けしてしまうのです。

ただしそのために卸売業は高度な物流機器や物流情報システムを導入し、DXに力を入れていくことになります。さらにロングテール在庫に対応することで、小売業をバックアップできる最新鋭の物流センターの建設や運営も不可避となっているのです。

**要点BOX**

- 超大型物流センターの運営でDXを推進
- 多様化するライフスタイルに対応したロジスティクスの構築

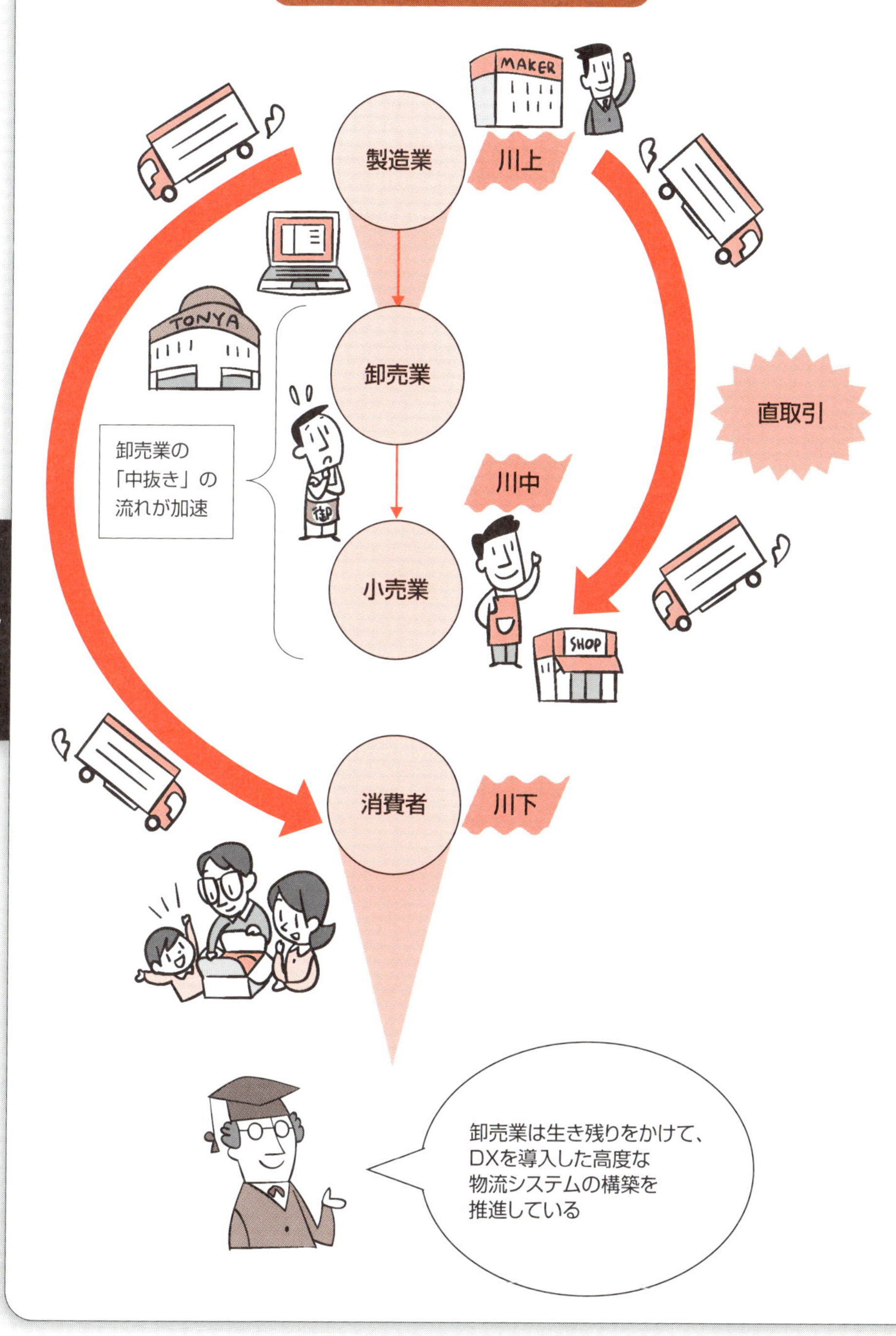

流通における多段階解消の流れ
MAKER
製造業
川上
TONYA
卸売業
直取引
卸売業の
「中抜き」の
流れが加速
川中
小売業
SHOP
消費者
川下
卸売業は生き残りをかけて、
DXを導入した高度な
物流システムの構築を
推進している

# 42 複雑な納品体制を戦略的に再構築

ネットスーパーの展開を視野に物流を効率化

スーパーマーケットの納品体制は複雑です。加工食品や菓子などのドライ食品センター、毎日消費される日配食品を扱うチルド食品センター、青果、鮮魚、精肉を扱う生鮮品食品センターなどからそれぞれ納品が行われています。スーパーの規模により、それぞれを荷合わせして納品されることもあります。自社センターから納品されることもありますが、チルド食品などは食品卸売業のセンターからの納品となることも少なくありません。

スーパーが商品の発注を行う場合は、本部で一括発注するやり方と店舗別に発注するやり方とがあります。発注データはメーカー、卸売業、あるいは自社の物流センターなどに送信されます。それを受けて、物流センターなどに保管されている在庫が店舗向けに出荷されます。

同時に、物流センターなどは出荷データをスーパー本部などに送信します。他方、店頭では入荷品について検収・検品、品出しが行われます。ただし、検品は可能な限り物流センターで済ませ、店頭については ノー検品というスキームも広がっています。

なお、スーパーの物流センターの運営費と配送費はセンターフィー（物流センター使用料）として購入総額から差し引かれるかたちで、メーカーや卸売業が負担することになっています。ちなみにスーパーなどの商品が並んでいる陳列棚に商品を並べるレイアウトを「棚割り」といいます。通常、商品の入れ替わりの多い時期に棚割りが行われます。あまり売れない商品はカット商品と呼ばれ、棚から外されます。反対に新トレンドは棚割りを改める際の大きな目玉となります。どの商品をどの棚に置けばよいのかをシミュレーションして検討することもよく行われます。

近年、ネットスーパーの展開と拡大を念頭に、物流部門システムのさらなる高度化やDXの導入が進められています。

**要点BOX**
- 一括納品に求められるセンターフィー
- ノー検品の導入で店頭作業を効率化
- 販売予測に基づいた緻密な棚割りの実践

## スーパーマーケットの物流のしくみ

ドライ食品センター、チルド食品センター、生鮮食品センターなどから納品される

## 棚割りとは

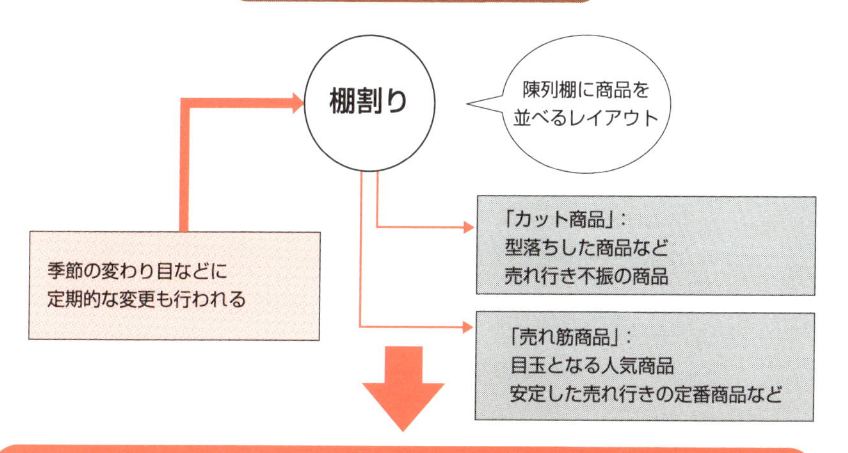


どの商品をどの棚に置けばよいのかをコンピュータシミュレーションなどにより検討

# 43 ドミナント戦略で配送効率を向上

温度帯別の物流管理を徹底

コンビニエンスストアの物流システムはその出店戦略、店舗展開と密接な関係があります。

大手コンビニエンスストアの多くはドミナント戦略をもとに出店戦略、店舗展開を行っています。ドミナント戦略とは集中出店方式のことです。各チェーン店を一定区域内に集中して出店させるのです。

通常、商品は物流センターなどから店頭に届けられます。店舗と店舗の間隔が近ければ近いほど配送コストを削減できるという考えからです。しかもジャストインタイムで商品を決められた時間に補充する際にも、店舗が隣接していれば正確な時間に配送できます。

大手コンビニの多くではPOS（販売時点情報管理）システムなどが高度に構築され、店頭情報が本部と共有されています。

コンビニで売られる弁当や惣菜の流通経路は、毎日の多頻度小口配送が大前提になります。また卸売業を通さずメーカーから直接仕入れることで、流通経路も可能な限りの短縮化、圧縮化を図っています。

惣菜メーカーや牛乳メーカー、加工食品メーカーなどのそれぞれの商品は毎日、共同配送センターに集められます。コンビニエンスストアの物流センターでは、配送先の店舗にあわせて商品が振り分けられます。

もちろん複数の温度帯管理にも対応しています。食品の温度管理、および品質管理はコンビニの物流の大きな特徴となっています。

たとえば、弁当などの温度帯と冷凍食品などの温度帯は異なります。さらにいえば、チルドと呼ばれる乳製品などや、常温と呼ばれるスナック菓子などの管理温度も異なります。

もちろん、綿密な温度管理を実践できるのは、綿密な需要予測を可能とする情報システムの構築が必要となります。さらにいえば近年はDXへの対応も必須となっています。

**要点BOX**
- ●流通経路を可能な限り圧縮
- ●POSシステムによる商品管理を推進
- ●需要予測の徹底で高度なロジスティクスを実践

## コンビニエンスストアの物流システム：温度帯別特徴

| 温度帯 | 取扱品目 | 温度帯管理 |
|---|---|---|
| 常温 | スナック菓子、加工食品、調味料など | 温度管理は行われていない（ただし、チョコレートなどは25℃で管理） |
| チルド | 乳製品、魚肉練り製品、麺類など | −5℃〜5℃の間で管理（通常、0℃付近での管理） |
| フローズン | アイスクリーム、冷凍食品など | −18℃以下で保存、管理 |
| 定温 | 米飯、焼立てパン、弁当など | たとえば20℃で管理 |

# 44 ビジネスモデルが拡大する宅配便の未来図

## 拡大するネット通販市場への対応を重視

家庭から宅配便を送る場合は、近所のコンビニエンスストア、あるいは最寄りの営業所に荷物を持ち込んで伝票に記入し、配送手続きを行います。

宅配便の荷物はコンビニ、宅配便営業所などでの集荷後、エリアを統括する大型の宅配便センター（ベース）に持ち込まれます。ここで行先別に仕分けされ、送り先エリアの宅配便センターに運ばれます。さらに送り先エリアの宅配便センターで届け先ごとに仕分けされ、営業所を介して、あるいは直接配送されます。

このように宅配便の流れを見てみると、仕分け作業が宅配便を円滑かつ迅速に行ううえで重要な役割を担っていることがわかります。

通常、仕分け作業は、一次仕分け、二次仕分けといった複数回の仕分けが行われます。まずは拠点（ベース）別に仕分けを行い、各拠点で最終仕分けが行われるといった具合になります。

手作業の場合は、仕入れ情報が記入されたリストやバーコードをハンディターミナルで読み取るといったかたちで行います。ただし莫大な量を処理しなければならない場合には自動仕分け機が使われます。集荷された物品をコンベヤで搬送し、コンベヤ上でバーコードなどから仕分け先情報を読み取るようにします。

宅配便業界では長年、不在世帯への再配達の多さが問題になっていました。それが、コロナ禍などをきっかけとして、受領印なしに玄関先などに荷物を置いて配達を完了する「置き配」が多くなりました。さらにいえば、高層マンションなどでの宅配ボックスの設置や街中での宅配ロッカーの活用なども進んでいます。

また宅配便企業がクラウド型の再配達対応のデジタルプラットフォームを構築し、SNS（ソーシャルネットワーキングサービス）などと連動させて、消費者が不在時の配達指示を出せるようになっています。ネット通販市場のさらなる拡大も予想され、宅配便の重要性はますます高まろうとしています。

**要点BOX**

- ●宅配便のデジタルプラットフォーム構築を推進
- ●セールスドライバーの労働環境をホワイト化
- ●再配達対策が広がる「置き配」

## 宅配便の流れ

営業所、コンビニなどでの集荷

↓

エリアを統括する大型の宅配便センター
行先別に仕分け

↓

配送先の各エリアの営業所

↓

家庭、オフィスなどへの配達

# 45 フルフィルメントセンターの変化

## ネット通販物流の最適化を実現

ネット通販市場は拡大の一途を続けています。そしてネット通販の物流に対応する巨大物流センターが相次いで建設されています。

ネット通販対応の物流センターはフルフィルメントセンターと呼ばれています。また大都市ではマイクロフルフィルメントと呼ばれる、多頻度小口に対応した物流拠点も運営されるようになってきました。

ネット通販の場合、「商圏ごとの棲み分け」というケースが比較的少なくなります。たとえば、実店舗ならば、「A地区ならばB店だが、C地区に住めばD店に行く」といった生活基盤と密接に結び付いた商圏ができあがっています。したがって、似たような店舗はエリアごとに必要になるわけです。フランチャイズなどが発達したのもこうしたロジックがもとになっているともいえましょう。

しかしながらバーチャル店舗の場合は当然ながら、このスキームが崩れることになります。1サイトの商圏がとてつもなく広いため、類似の店舗の多くは不要になるわけです。ネットショップでいえば、アマゾンドットコムのような巨人が出現すれば、多くのネットショップはその存在価値を問われることになってしまうのです。

さまざまな業界の商品を売る場合、規模を拡大することで商圏全域を制覇するか、それとも専門性を高めることで、スケールメリットだけでは太刀打ちできない独自の商圏をネット上に構築するかという選択を迫られることになります。逆にいえば、中途半端な規模や専門性ではネット販売競争で勝ち残ることは難しいともいえましょう。

そして、商圏が広がれば、物流センターの規模も必然的に大きくなります。従来型の物流センターとはカバーする商圏の大きさが違うのです。

同時にネット通販は各消費者の家庭にダイレクトで届ける、多頻度小口型の物流も整備されているのです。

**要点BOX**

- ●巨大化した商圏に対応した物流システムの構築
- ●大都市圏でのマイクロフルフィルメントの活用
- ●大型化する物流センターで消費者ニーズに対応

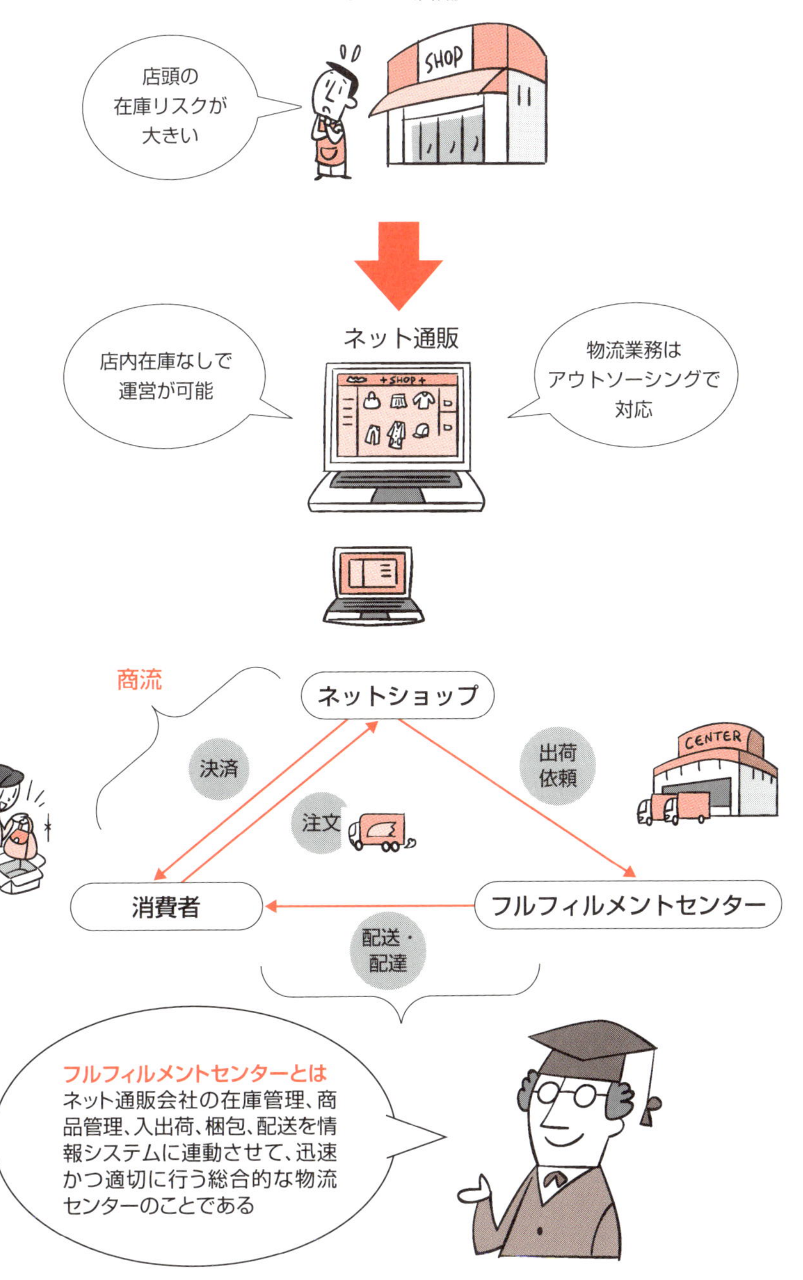
フルフィルメントセンターのしくみ
リアル店舗
店頭の
在庫リスクが
大きい
SHOP
ネット通販
店内在庫なしで
運営が可能
物流業務は
アウトソーシングで
対応
SHOP
商流
ネットショップ
決済
注文
出荷
依頼
CENTER
消費者
フルフィルメントセンター
配送・
配達
フルフィルメントセンターとは
ネット通販会社の在庫管理、商品管理、入出荷、梱包、配送を情報システムに連動させて、迅速かつ適切に行う総合的な物流センターのことである

# 46 レガシーシステムからの脱却を推進

## 老朽化する物流支援システムの再構築を断行

情報通信分野では、レガシー（老朽化）システムと呼ばれる既存の情報システムが機能不全に陥るリスクが指摘されています。

というのは、ITの創成期に構築されたレガシーシステムでは、爆発的に増加するビッグデータを活用しきれないからです。しかし近い将来、レガシーシステムが全企業システムの大半を占めるともいわれています。それゆえDXを推進することにより、システムの刷新を進める必要もあるのです。

さらにいえば、日本企業のIT関連投資のほとんどは現行業務の維持や運営にあてられているともいわれています。

これまでは産業別に単純なアナログ的なサプライチェーンが構築され、それが旧式の情報システムで支えられていました。旧式とはいえ、システムが一度完成してそれなりに機能していると、最新のシステムに更新するのは難しくなります。スクラッチ（完全新規）開発に携わっていた人材のほとんどが現場から消え去り、レガシーシステムによる崖の問題が顕在化しています。すでにできあがってしまっている旧式のサプライチェーンから最先端のサプライチェーンに、いかにスムーズに移行させていくかが大きな課題となっているといえるでしょう。

これまでのサプライチェーンの情報武装には多大なコストがかかりました。しかし近年は、クラウドコンピューティングやエッジコンピューティングなどの発達と普及で、より高度なサプライチェーンの情報基盤構築が以前よりも低コストで可能になりました。

さらにいえば、クラウドネイティブ（クラウド型ベース）の物流情報支援システムの導入などにも注目が集まっています。物流と情報のリンクがより密接になります。AI武装された次世代型のTMS（輸配送管理システム）やWMS（倉庫管理システム）のすみやかな導入の必要性にも迫られているわけです。

**要点BOX**
- 次世代物流DXプラットフォームの導入が急務
- ブラックボックス化したレガシーシステムの欠陥に対応

## 物流情報システムとロジスティクス最適化

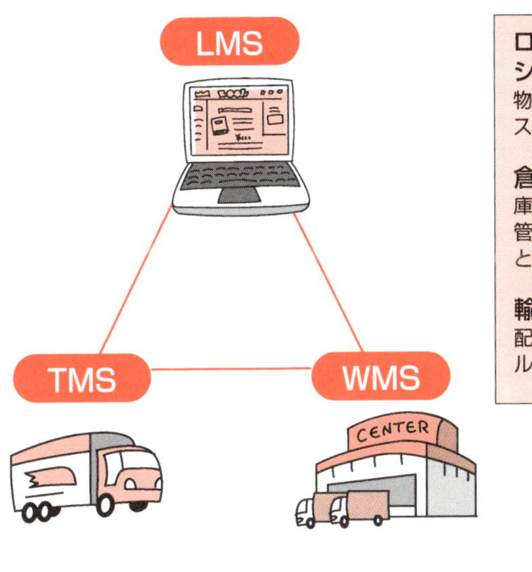


**ロジスティクスマネジメントシステム（LMS）**
物流計画、物流作業進ちょく管理、物流コスト計算などの支援システム

**倉庫管理システム**
庫内作業の最適化を推進。WES（倉庫運用管理システム）、WCS（倉庫制御システム）ともリンク

**輸配送管理システム（TMS）**
配車計画、運行管理などを支援し、輸配送ルートの最適化を推進

## WMSの歴史

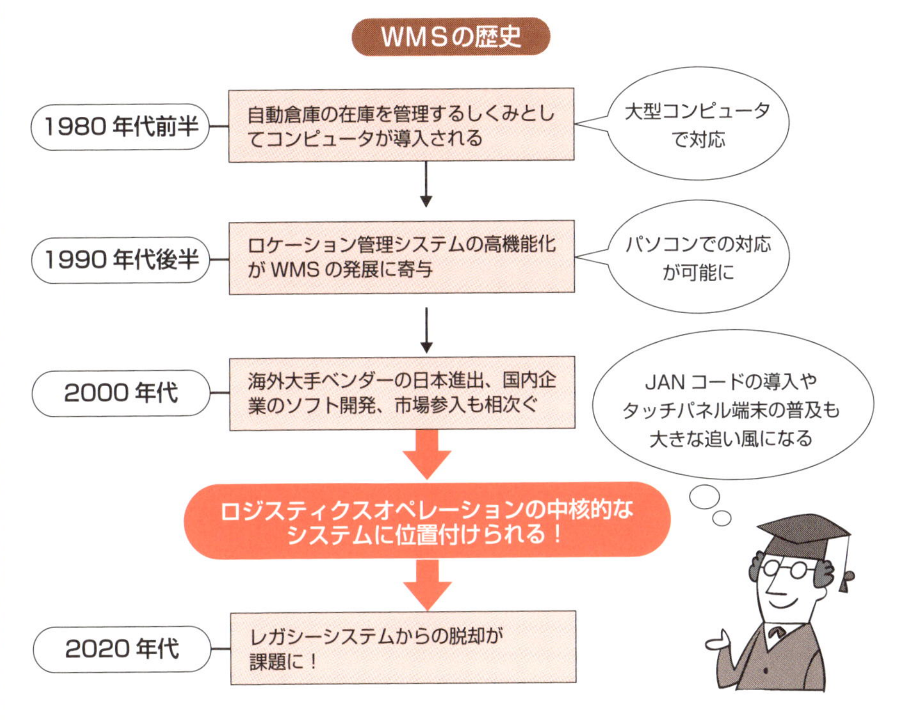

Column

# 物流情報システムの基本フロー

物流DXを推進する場合にまず念頭に置きたいのは、物流情報の送り手と受け手が物理的に離れた場所にいる可能性が高いことです。受注情報は営業が窓口となるかもしれませんが、実際の出荷は物流センターでピッキング作業などを経て行われると考えてよいでしょう。

また、情報は多企業間、多部署間で共有されます。社内外の関連部門や発荷主、着荷主、物流事業者など、多岐に渡ります加えて、その情報を物流センターなどの物流事業者や現場作業者が端末機器などを用いて作業したり、管理したりすることになります。さらに受注から納品に至る一連のプロセスのなかで、発注日付、発注番号、納期、支払条件などのデータが更新されたり、加えられたりしていくことにもなります。

受発注・出荷については、まず受注情報を登録するオーダーエントリーが行われます。注文を受け付けてデータをインプットしたうえで、与信限度や割当枠などを確認し、在庫引当てを行います。顧客ごとに価格が異なる場合などもあるので別決め価格などを確認、決定し、発注登録を行います。

ついで注文情報に基づいてピッキングリストが作成されます。出荷先別の仕分けが完了すれば、輸配送指示に基づいてトラックに荷物が積み込まれます。DX化が行われていれば、出荷案内書、納品書、受領書などの物流伝票をトラックドライバーが持参することなく、クラウド上のデータのみのやり取りで済ますことも可能になります。

納品完了についての報告も、クラウド型のシステムなどを介して出荷情報処理を行うケースやビジネスモデルも増えています。物流伝票をペーパーレスにすることで、相当なコスト削減と効率化が可能になると考えられます。

発荷主

物流事業者

着荷主

# 第5章

# 押さえておきたい物流の基本としくみ

# 47 物流の5大機能を理解し、活用

## 物流センター運営とトラック輸送網を効果的にリンク

物流の5大機能とは輸配送、保管、荷役、流通加工、包装を指します。

なかでも輸送は物流の最も骨格となる中心部分となります。一般に物流コストの50％程度、あるいはそれ以上は輸送費といわれています。

さらにいえば、トラック輸送費などの半分近くは人件費ということになります。輸送のなかでも短距離小口の端末輸送のことを「配送」といいます。物流センター内の移動などは「運搬」と呼んでいます。

保管もまた、物流の重要な機能になります。保管には生産と消費の時間差を埋めて、商品の供給を調整する機能があります。

輸送と保管を円滑にリンクさせるための一連の作業を荷役（にやく）といいます。荷役の具体的な作業には、「仕分け」「運搬」「ピッキング」などがあります。

流通加工（物流加工）とは、商品の加工を物流センターなどで行うことです。箱詰めや値札付けなども行われます。

包装は、保管や荷役をムリ、ムダなく行うために必要です。包装を行うことによって、商品の保護が容易になり、区分けもしやすくなります。ただし、環境との関係で包装は必要最低限に抑える必要が出てきています。またリサイクルしやすい素材を使った包装も求められます。

「物流」という言葉は一般に「物的流通」の略といわれています。輸配送、保管、荷役、流通加工、包装の5つの機能を統合して1つの概念にまとめたのです。したがって5大機能を相互に関連させて理解することが重要になります。また、近年は情報管理も5大機能に次ぐ重要な役割を担っています。なお、各機能について、輸配送ではトラック、保管では倉庫、荷役ならばフォークリフトや台車、流通加工ならばハンディターミナルなどをイメージするとよいかもしれません。

**要点BOX**

- 物流コストの50％以上を占める輸送費
- 輸配送、保管、荷役、流通加工、包装が5大機能
- 5大機能に次いで重要な「情報管理」の機能

## 物流の５大機能の相互関係イメージ

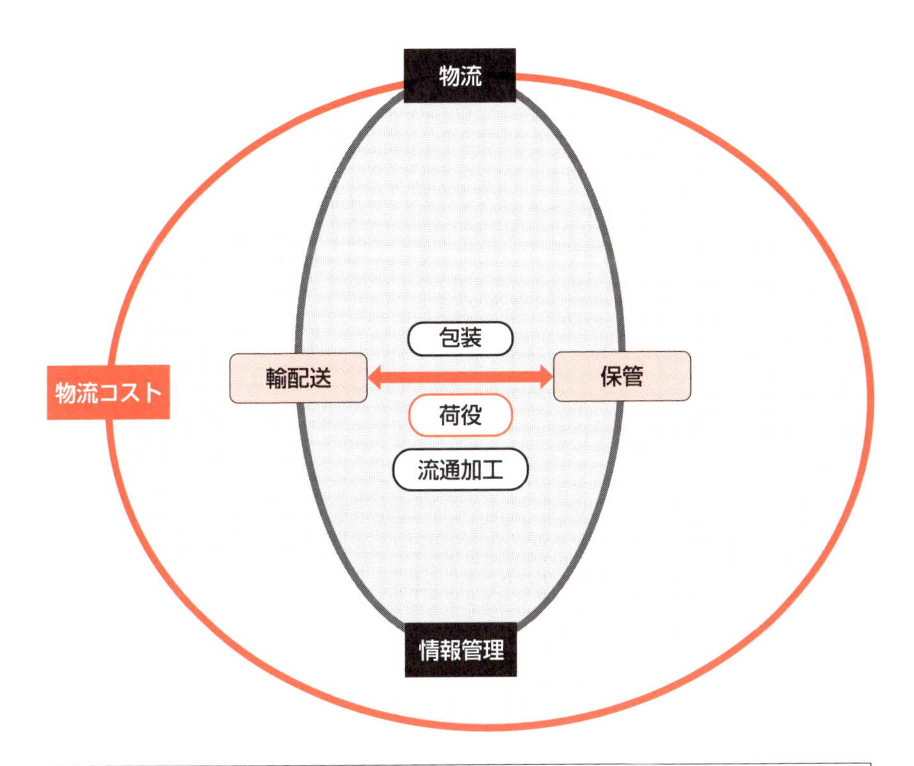




- 物流の５大機能に情報管理を加えて６大機能とすることもある
- 物流コストを可視化することで効率化を推進する

輸配送や保管、荷役、流通加工、包装を相互に結び付けて考えることで、全体最適を重視する

# 48 面的なサービスを供給するトラック輸送

## ドライバー不足の深刻化が課題

輸配送は物流で最も重要な機能といえます。輸配送の機能とは、「距離のギャップを埋める」ことにあります。たとえば北海道から九州まで荷物を運ぶことで距離のギャップを解消するのです。

さらにいえば輸配送の主力はトラック輸送になります。これはトラックが輸配送を効率的に行う諸条件を満たしているからといえます。

トラックは鉄道と異なり軌道を必要としません。そのため戸口から戸口への輸送の最善の手段となります。面的な輸送サービスを柔軟に供給することができるわけです。

また、海上輸送、すなわち船による輸送はトラックに比べ、大量な輸送が可能という特徴があります。$CO_2$や窒素酸化物（$NO_x$）などの大気汚染物質の量もトラックに比べると少なくなります。ただし、台風やハリケーンなどの悪天候の影響を受けることもあります。もちろん、トラックのように戸口から戸口への輸送を行うことは不可能です。

空輸、すなわち航空機による輸送は、長距離輸送を迅速に行うことができるというメリットがあります。反面、航空輸送は短距離輸送には不向きです。また海運とは異なり、大量に重量のあるものを輸送するということにも向いていません。

また環境問題の配慮や国際輸送の増加などもあり、モーダルシフト輸送に注目されています。そのなかで鉄道輸送は重要な役割を担います。環境に配慮した輸送モードを選択するのです。

なお、近年はトラックドライバー、船舶の航海士、航空機のパイロットなどの不足問題が深刻化しつつあります。その対策として自動運転や無人化に注目が集まっています。たとえばネット通販の配送についてAIを搭載したロジスティクスドローンの活用を目指すようになってきました。物流DXとのリンクもさらに進展していくことになるでしょう。

**要点BOX**

- トラックの動線を常に確認
- モーダル輸送を効果的に活用
- 環境に配慮した輸送モードの選択

## 輸送・配送・運搬の定義

### 輸送

物流ネットワークの拠点間を公共空間を経由して
貨物を移動させること

### 配送

輸送の中でも短距離小口の末端輸送を指す

### 運搬

物流施設内などにおける貨物の移動を表す

## トラックの種類(例)

用途・目的、荷姿、貨物重量などを考慮して、
使用するトラックを選択する。

小型バンボディ

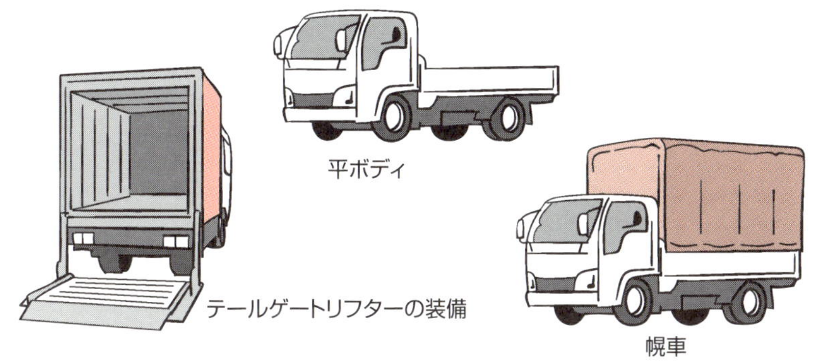
平ボディ

テールゲートリフターの装備

幌車

# 49 時間的なギャップを解決する保管の機能

物流高度化を念頭に戦略的な保管を実践

輸配送が距離のギャップを埋めるのに対して、保管には需要と供給の時間的、時期的なギャップを埋めるという機能があります。

たとえば、工場で夏前に生産したエアコンの本格的な需要は夏季になってからでしょう。しかし、夏季になってからエアコンの生産を始めても販売機会を逃してしまうでしょう。消費者が実際にエアコンを求めるのは夏季になってからですから、暑さをしのぐタイミングに合わせて店頭にエアコンが並んでいなければならないわけです。

したがって、エアコンが生産されるのはそうした需要が発生する少し前ということになります。

ただ、ここで注目しなければならないことは、生産しなければならない時期と実際に物品が売れる時期に「時間差」があるということです。生産は夏前に行う必要がありますが、売上げが期待できるのは夏季なのです。そこで考えられるのが「物品を保管する」ということです。実際に物品が売れるようになる時期まで、その商品を保管しておくのです。そうすれば消費者の需要にあわせて物品を店頭に並べることが可能になります。

ただし、保管を行ううえでは物品の安全性の確保、商品の劣化の防止などが必要になってきます。食品などの場合は衛生面にも十分気を配らなければなりません。また保管費は決して安くはありません。保管場所をいかに効率的に使用するかということも重要になってきます。

さらにいえば保管には、「輸配送、出荷などの準備段階」という意味合いもあります。物流センター内の物品の保管場所や保管レイアウトのとり方により作業効率が大きく異なるということも珍しくありません。物流高度化の実現は「単純にモノを保管しておけばいい」という発想ではうまくいかないのです。戦略的に保管を考える必要があるのです。

要点BOX

- ●戦略的な保管で物流高度化を実現
- ●保管レイアウトで変わる作業効率
- ●安全性を確保し、商品の劣化を防止

## 保管の機能

**保管の機能**

- 商品管理（安全性、品質など）
- 保管空間の有効活用
- ITの管理など

商品の安全性の確保、
商品の劣化の防止などが必要。
衛生管理、保管効率性も
重要である

保管には、
「輸配送、出荷などの準備段階」
という意味合いもある

たんにモノを保管するだけではなく、保管効率やサプライチェーン全体での役割を意識した戦略的保管が求められている

# 50 輸送から保管にいたる流れを円滑化

## 最適化を目指す物流センターのオペレーション

荷役は輸配送から保管にいたるまでの一連の倉庫などの物流施設での業務を指します。輸配送と保管の間に存在するギャップを埋める機能があると考えてもよいでしょう。

荷役の具体的な作業には、入荷、入庫棚入れ、在庫管理、仕分け、ピッキング、出庫、梱包・出荷などがあります。

荷役の簡素化は物流コストの低減にも直結します。とくに物流高度化の流れのなかで注目度を高めているのがピッキングの効率化です。

物流センターにおける荷役において、ピッキングは高い割合を占めています。ピッキングは荷役の中で最も労働集約的な機能といえるでしょう。ピッキング効率を上げることで物流センター全体の効率化も促進できるのです。物流センターのオペレーションでは「いかにピッキングを省くか」ということを念頭に最適化が目指されています。大きな柱となるのがピッキングにおける自動化とクロスドッキングシステムの導入です。

ピッキングの自動化に関しては、DPS（デジタルピッキングシステム）の導入に加えて、ピッキングロボットの開発や現場への投入も進んでいます。こうした物流テック（物流新技術）を戦略的に活用することで荷役効率を大きく高めることが可能になります。

クロスドッキングとは、多品種の商品を荷受けして、即座に方面別に仕分けして発送する積み替え業務のことです。クロスドッキングを推進することによって、オーダーピッキングなどを省略することができます。クロスドッキングには大規模な物流機器や設備は必要ありません。ただしスムーズなクロスドッキングには高度な物流ノウハウが必要となります。

さらに近年では荷役を保管と密接に結び付いた機能としてとらえ、DXや完全自動化が推進され、省力化や無人化の実現を念頭に、より一層の物流効率化が図られています。

**要点BOX**
- ●効率的な荷役作業で物流コストを削減
- ●ピッキングの効率化を戦略的に実現
- ●デジタル化により荷役生産性を向上

## 物流センターにおける荷役作業

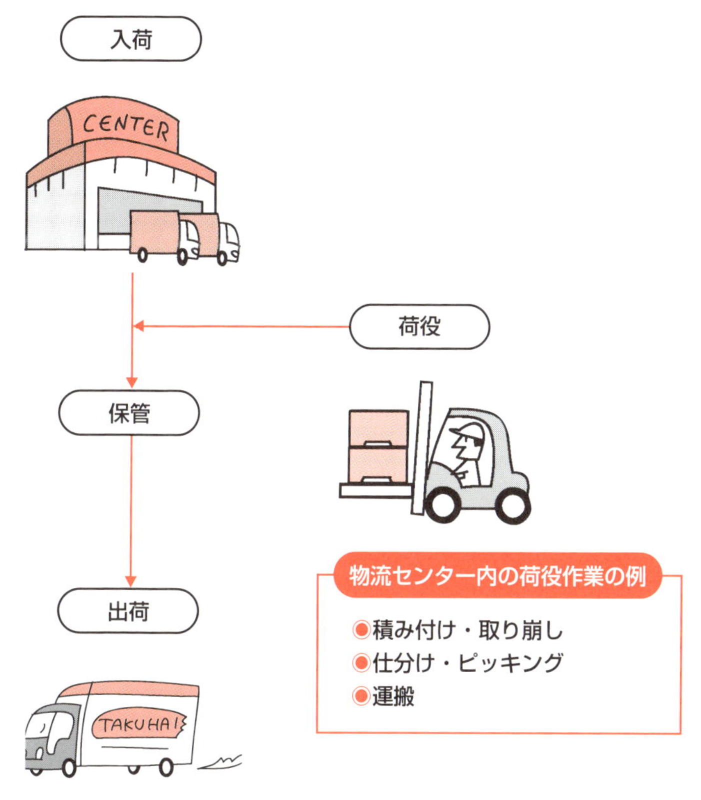


「港湾荷役」、「エレベータ荷役」などの作業環境を付した呼び方や
「フォークリフト荷役」、「手荷役」など荷役の方法を付した呼び方がある。

# 51 物流センターにおける流通加工を充実

## セル生産方式の導入で効率化を推進

流通加工は物流加工といわれることもあります。物流センターなどで行われる加工作業、たとえば物品の値札付けや、梱包などの作業です。生産段階で行っていた物品の組立てや加工などを物流センターで行うことで生産コストの削減なども可能になります。たとえば、服などのアパレル商品の値札付けの作業を生産工場ではなく、物流センターで行います。あるいは化粧品箱の詰め替え作業なども物流センターで行うケースが増えています。

ロジスティクスの高度化により、物流センター内の流通加工の重要性はますます高まっています。

流通加工の有無、あるいはその形態は物流センターの立地、レイアウトなどに大きく影響します。また、流通加工の有無でパート、アルバイトなどの物流センター作業者数も大きく変わります。従業員の交通の便の確保も重要なポイントになります。物流センターが駅から遠ければシャトルバスなどを運行して対応します。さらに、暖房費を節約するために流通加工を物流センターの中間階で行うなどの工夫も必要になるでしょう。

加えて、熟練した流通加工の作業者を確保することも重要です。物流拠点の集約などを進めると、通勤条件が変わります。作業者が変わることでオペレーションの質が影響を受けるリスクも念頭に置く必要があります。

さらに近年は流通加工の効率化も急速に進んでいます。たとえば物品の梱包などを流れ作業ではなく、セル生産方式で行うことで効率化を図るケースも増えています。また、作業マニュアルや手順書の作成や整備も一般化し、、標準化に対応したムラのない作業を行えるようになってきました。

物流のさらなる合理化、効率化において、流通加工のプロセスの見直しや効率化の検討が重要になってきているのです。

**要点BOX**
- ●標準化に対応した作業手順書を入念に作成
- ●庫内作業のさらなる合理化を実現

## 流通加工の種類

| | | |
|---|---|---|
| 袋詰め | 荷札付け | 組み立て |
| 値札付け | ラベル貼り | 切断 |
| セット詰め | 品揃え | 穴あけ |
| 商品包装 | 検査 | ねじ切り |
| 商品組み合せ | 選別 | 引き抜き |

食料加工品：保存のための加工⇒乾燥、くん製、塩漬けなど
生産財：切断、ねじ切り、穴あけなど
消費財：小分け、商品化包装、箱詰め、値札付けなど

## 流通加工を円滑に行ううえでの注意点

- 効率の上がる作業プロセスの導入
- 作業者の働きやすい環境の整備
- 作業者の適性に配慮した人員配置の最適化

用語解説

セル生産方式：少人数で製品の組立工程を完成させる生産方式のこと

# 52 包装の標準化で荷姿を統一

## 物流プロセスにおける衝撃を緩和

包装も物流の重要な機能です。包装により輸送、保管、荷役などの際の衝撃を防ぐことが可能になります。

包装は商業包装による個装（消費者包装）、工業包装による内装、外装に分けられます。モノの輸送、保管などの際、価値や状態を保護するために適切な材料や容器を施す技術やその状態のことを指します。また工業包装は、輸送包装といわれることもあります。

外装は包装貨物の外部にする包装のことです。箱や袋などの容器に入れて記号、荷印などをつけます。内装は包装貨物の内部にする包装です。箱の中の商品に衝撃が加わらないように内部から保護するパッケージなどのことです。個装とは商品のイメージや価値を高めるために行われます。個々の商品を保護するという目的もあります。

物流において包装を標準化することで荷役作業、荷役機器などの標準化を円滑に行う道筋がつけられることになります。包装の標準化は包装の寸法、強度、材料、技法などを対象として行われます。包装を標準化することによって、保管効率や輸送効率の向上を実現することが可能となります。また、コンテナ、パレット、段ボール箱などを標準化することで、作業方法の標準化、単純化も実現できます。

また包装を環境に配慮して行う必要性も高まっています。包装容器リサイクル法の成立でその流れは加速しています。家庭、事業所などから出される一般廃棄物に使われるさまざまな容器、包装材に再商品化の義務を課した法律です。

スチール缶、ガラス製容器、飲料用などのペットボトル、牛乳パックなどの飲料用紙パック、飲用以外の紙製容器包装、プラスチック製容器包装も対象です。事業者の費用負担などによる再商品化も規定されています。容器包装の分別収集を容易にするために原材料の識別マーク表示も義務となっています。

- ●商業包装と工業包装の区別を理解
- ●環境に配慮した包装の実現
- ●商品イメージの向上に貢献

## 包装の種類

包装

- 商業包装：商品価値を高める（個装）消費者包装ともいう
- 工業包装：包装貨物などの内部の包装（内装）包装貨物などの外部の包装（外装）

ガラス容器、金属缶、
プラスチック容器など

段ボール、木箱、
ドラム缶など

## 戦略性を高めた包装の実践

環境に配慮した包装
リサイクル材の使用など
↓
環境武装の充実

過剰包装の回避、
パレット、段ボール箱などの
標準化
↓
在庫圧縮
保管効率向上
トラック積載率の向上

物流効率化
を促進！

# 53 物流高度化に必要な情報管理機能

## クラウド型のデジタルプラットフォームの構築と活用

物流における情報管理の重要性はますます高まってきています。物流の主要機能のなかに情報管理を含める考え方も主流になってきました。ロジスティクスの高度化に伴い、物流関連情報の戦略的な共有がこれまで以上に重要になっています。

物流における情報管理は、物流事業者側と荷主側の双方の立場から考える必要があります。

物流事業者の立場から考えた場合、WMS（倉庫管理システム）やTMS（輸配送管理システム）といった物流情報システムの構築と、それに関わる一連の管理が重要となります。また運行管理システムや輸配送マッチングサービスである求荷求車システムなどの活用や管理も必要となります。クラウド化の普及などもあり、情報セキュリティにも十分配慮しなければなりません。

あわせて、荷主企業のJANコード（商品識別コード）情報を共有したり、JANコードのチェックデジットを外して作成される物流用のITFコード情報などの管理や運用を行ったりすることにもなります。

他方、荷主側としては、サプライチェーン全体における自社物流情報の綿密な管理体制の構築が必要になってきます。自社製品の出荷情報、在庫情報、製品トレーサビリティなどを物流部のみならず営業部門や生産管理部門などの関連部署間で共有する必要もあります。

また宅配便や引っ越し便などの消費者物流では、セールスドライバーと最終消費者の間での不在情報、再配達情報、貨物追跡情報などをクラウド型のデジタルプラットフォームの活用を図りつつ、共有する時代となってきました。「たんにモノを運んだり保管したりするだけ」というのではなく、「どのように情報を管理しながらモノを運んだり、保管したりするのか」ということが、これからの物流には求められています。

●WMS、TMSの高度化で物流効率が向上
●ITFコードの管理と運用を徹底

## 物流情報管理の一例(イメージ図)

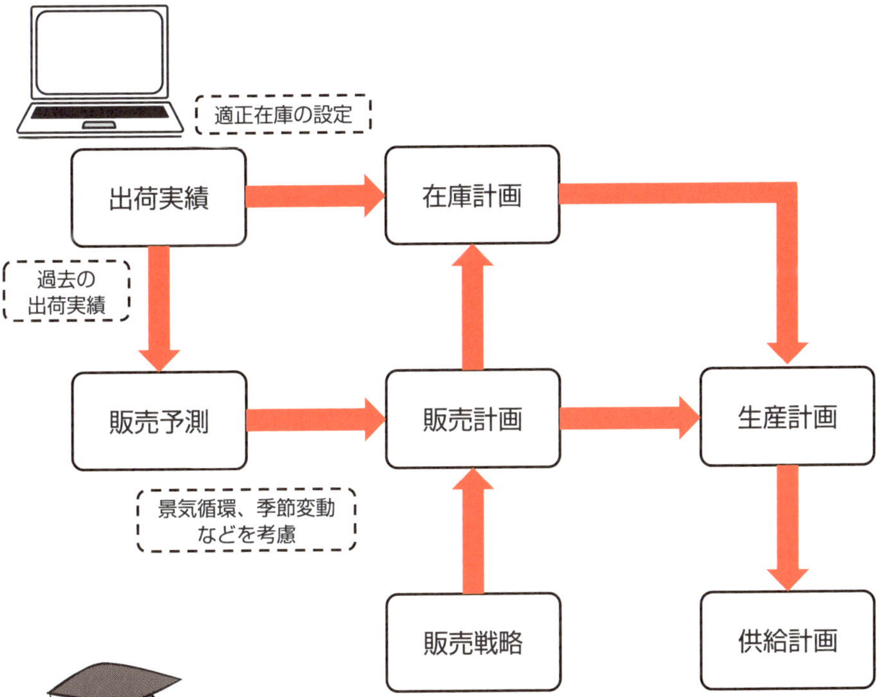

適正在庫の設定

出荷実績 → 在庫計画

過去の出荷実績

出荷実績 → 販売予測

販売予測 → 販売計画

景気循環、季節変動などを考慮

販売計画 → 在庫計画

在庫計画 → 生産計画

販売計画 → 生産計画

販売戦略 → 販売計画

生産計画 → 供給計画

物流センターにも情報が集まることになる

3PLを活用することにより事業の急拡大に対応

# 54 パレット、ラックなどを活用して物流を効率化

## 固定ラックの活用で保管効率を向上

物流業務で用いられる保管機器にはパレット、ラック、自動倉庫、コンテナなどがあります。

パレットはフォークリフトなどと組み合わせて活用することでその機能を増幅することが可能となります。パレットの材料には木製、プラスチック（樹脂）製、金属製、紙（段ボール）製があります。

パレットには保管機能もあり、平置きではパレットを利用し、その上に商品を置く方式がとられています。

ラックの設置にあたっては、入出庫に際してラックが大きく揺れたり、ラックに歪みやガタツキが生じたりすることがないように十分、注意します。ラックが歪んでいる場合、レイアウトを変更しても組み立て直すことが難しくなります。

自動倉庫とは情報システムと連動して入出庫、格納・保管が自動でできる保管設備です。

コンテナとは輸配送に用いる貨物を入れる輸送用容器です。コンテナ輸送を行うことによって、複数の輸送手段をシームレスで輸送することが可能となります。さまざまなコンテナの定義はISO規格（国際標準化機構）やJIS（日本産業規格）により決められています。

フォークリフトは重量物の運搬の作業効率向上に不可欠で一般的な運搬車両です。正しい知識のもとに管理される必要があります。パレットとの併用というかたちで作業に使われます。なお、1t以上のフォークリフトの運転は「フォークリフト運転技能講習」を修了した者でなければ行えないことになっています。また1t未満でも特別の教育を受けさせることが事業者に義務付けられています。

ある程度以上の規模の物流センターでは、作業効率を向上させるために仕分けにあたってソーター（自動仕分け機）が使われます。

多頻度小口型の物流、ピーク時の物流量が非常に大きい物流などには高速のソーターが使われます。

**要点BOX**

- ●保管、移動の効率化を図るパレット、ラック
- ●庫内の効率的な運搬にフォークリフトを活用
- ●コンテナを活用したシームレスな輸送を実践

## パレットの特性と活用効果

材質 木製、プラスチック（樹脂）製、金属製、紙（段ボール）製など
機能 輸送、保管などの際に貨物をパレットに積載し、フォークリフトなどで荷役を行う

## ラックの種類と機能

- ●固定ラック、移動ラック、回転ラック、流動ラックなどがある
- ●ラックを用いることで保管効率を向上させ、庫内荷役などを効率化できる

パレットラック
（重量棚）

移動ラック

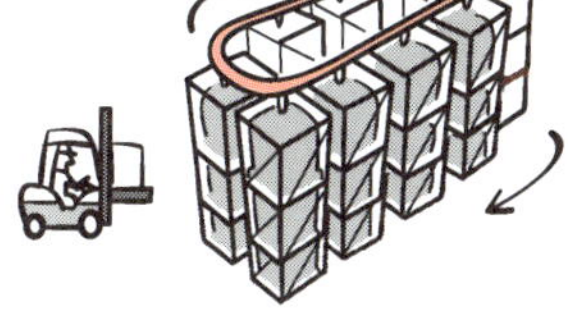

流動ラック

## 保管機器・設備の種類と特徴

| 保管機器 | 解説 |
|---|---|
| パレット | 木製、プラスチック（樹脂）製、金属製、紙（段ボール）製などがある。保管機能もあり、平置きではパレットを利用し、その上に物品を置くことが多い |
| ラック | 1棚当たり500kgを超える重量ラック、150kg超500kg以下の中量ラック、150kg以下の軽量ラックがある。主なラックとしてはパレットラック、移動ラック、流動ラック、回転ラックなどがある |
| 自動倉庫 | スタッカークレーン式自動倉庫、カルーセル式自動倉庫（横型カルーセルと縦型カルーセル）などがある |
| コンテナ | さまざまなコンテナの定義はISOやJISにより決められている。鉄道コンテナ、海上コンテナ、航空コンテナなどがある |

# 55 保管機能だけではない現代の倉庫・物流センター

## 倉庫業法に基づいて管理、運用

倉庫ではなく物流センターと呼ばれることも多くなりましたが、いずれにせよ倉庫業法などに基づいて運営されることになります。そこでまず倉庫とはそもそも何なのかということについて説明しておきたいと思います。

倉庫業法では倉庫とは「物品の滅失、損傷を防止するための工作物、あるいは工作を施した土地、もしくは水面で物品の保管の用に供するもの」とされています。ただし一般的にはモノを保管する場所のことを倉庫と呼んでいます。利用形態や建築様式から倉庫の種類が分類されることもあります。

経営形態に基づいて自家倉庫、営業倉庫、農業倉庫、協同組合倉庫などに分けて考えます。

● 自家倉庫：メーカーや卸売業などが自社の貨物を保管する倉庫のことをいいます。自社の倉庫として使用する限りは営業倉庫の申請は必要ありません。

● 営業倉庫：倉庫業法第三条の登録を受け、他人（他社）から預かった物品を保管する倉庫のことを指します。

営業倉庫については倉庫業法により細分化されます。普通倉庫、冷蔵倉庫、水面倉庫、トランクルーム、特別の倉庫に分類されるのです。さらに普通倉庫は一類倉庫、二類倉庫、三類倉庫、野積倉庫、貯蔵槽倉庫、危険物倉庫に分けられます。

● 農業（用）倉庫：農業倉庫法により認可を受けた倉庫で農業協同組合などが運営するものです。

● 協同組合倉庫：事業協同組合、漁業協同組合などが用いる倉庫のことです。組合員の物品が保管されます。

● 公共倉庫：国、または地方自治体が公共の利益を目的として設ける倉庫です。

要点BOX
- ●利用形態や建築様式から分類される倉庫の種類
- ●倉庫から物流センターへと進化する流れ

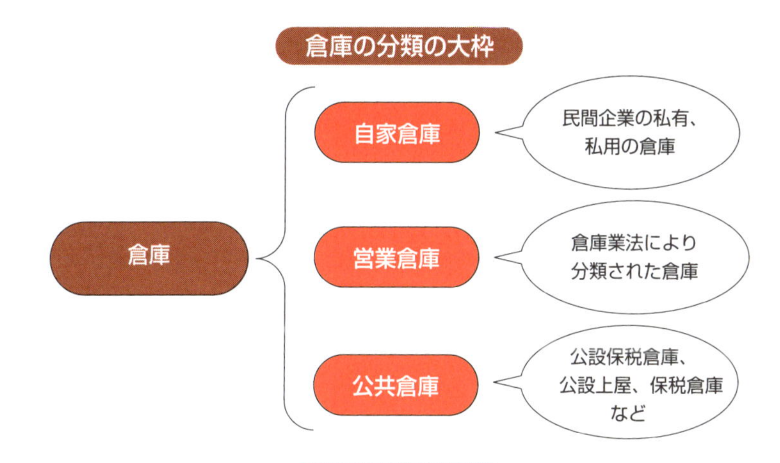


## 営業倉庫の種類

| | |
|---|---|
| **普通倉庫** | ①一類倉庫　一般雑貨などの普通貨物を保管。通常、「営業倉庫」というと一類を指すことが多い<br>②二類倉庫　一般貨物以外の穀物、肥料、セメント、陶磁器などの保管<br>③三類倉庫　ガラス類、地金、鋼材などを保管。簡単な構造<br>④野積倉庫　風雨による影響を受けない原材料などを野積み保管<br>⑤貯蔵槽倉庫　タンク、サイロなどの液体やばら穀物などの保管<br>⑥危険物倉庫　消防法などに規定する「危険性がある物」を保管 |
| **冷蔵倉庫** | 低温で生鮮食品や凍結品などを保管<br>①C級　+10℃以下から−20℃未満　野菜、果物、干物、塩干物、冷凍野菜など<br>②F級　−20℃以下　冷凍魚介類、食肉など |
| **水面倉庫** | 原木などを水面保管する施設（水面貯木場） |
| **トランクルーム** | 一般消費者の物品の保管 |
| **特別の倉庫** | 災害の救助などのために物品の保管を必要と認め、国土交通大臣が定める倉庫 |

| | |
|---|---|
| **利用形態からの分類** | 貯蔵（保管）倉庫-----保管（貯蔵）機能を主とした倉庫<br>流通倉庫-----保管に加え配送・流通加工機能を備えた倉庫<br>専用倉庫-----生産財、食料など、ある特定品目のみを取り扱う倉庫<br>専属倉庫-----特定のメーカーの製品のみを取り扱う倉庫<br>保税倉庫-----関税法に基づく輸出入税などがまだ収められていない貨物を保管する倉庫<br>その他--------状況に応じて製品倉庫、商品倉庫、部品倉庫、原材料倉庫などの名称が用いられることがある |
| **建築様式からの分類** | 平屋建倉庫、多層階倉庫、自走式倉庫、地下倉庫など |

# 56 ロケーション管理の徹底で作業効率を向上

## 状況に応じて保管戦略の方針を決定

ロケーション管理とはロケーション番号を棚間口ごとに設定し、ゾーン、棚番号、通路番号などをアルファベットと数字を用いて指定し、その所在を明らかにする管理方法です。

ロケーション管理によって、作業移動効率を上げることができます。また商品知識の少ない作業員が的確に業務を遂行できるようになります。

現代物流ではロケーション管理は常識です。ロケーション管理がきちんと行われていない倉庫は、物流の基本の部分で大きな問題と課題を抱えていると考えて構いません。

ロケーション管理には、物品ごとに保管位置を登録する保管エリア向けの「フリーロケーション」、物品ごとに保管位置を指定できるピッキングエリア向けの「固定ロケーション」に大別できますが、中間的な方策である「ゾーンロケーション」が採用されることもあります。

フリーロケーション管理では、空いた任意のスペースに物品を順次格納していきます。入庫・格納の早い順番に出荷することが容易で先入れ先出しを効率的に行うことが可能になります。

固定ロケーション管理では、物品別に保管エリアを設定します。保管する物品の「所番地化」を行うことで、現品管理を正確に行うことが可能になります。

ゾーンロケーションとは、あるエリアに関連品目群を固定的に集約しますが、そのエリア内ではフリーロケーションを採用するという管理方法です。自動倉庫との組み合わせで採用されるケースが多くなっています。

ロケーション管理の方策は品物の物流特性によって異なります。同じ物品でも、配送計画、出荷量、在庫管理戦略、販売計画などにより、フリーロケーション、ゾーンロケーション、固定ロケーションのいずれで処理するかはケースバイケースです。

**要点BOX**

- ●物品別に所番地化を行う固定ロケーション
- ●フリーロケーションで任意のスペースに順次格納
- ●ゾーンロケーションによる柔軟な対応

## ロケーション管理の種類と機能

**ロケーション管理**

ロケーション番号を棚間口ごとに設定し、ゾーン、棚番号、通路番号などをアルファベットと数字を用いて指定し、所番地化を行い、管理する

**フリーロケーション**

任意のスペースに商品を順次格納していく。入庫・格納の早い順番に出荷することが容易で先入れ先出しを効率的に行うことが可能になる

**固定ロケーション**

物品別にエリアを設定。現品管理を正確に行うことができる

**ゾーンロケーション**

あるエリアに関連品目群を固定的に集約し、そのエリア内ではフリーロケーションを採用するという管理方法。自動倉庫との組み合わせで採用されるケースが多い

固定ロケーションなので
現品管理がやりやすいな

Column

# 製造業における VMI倉庫の活用

製造業間で行われる調達物流領域では、アセンブラー（組立メーカー）がサプライヤー（部品・素材メーカー）をまとめて系列化などを行い、JIT（ジャストインタイム）やミルクラン（巡回集荷）を実施するというのが基本的なパターンとなっています。

しかし、近年はグローバル調達や部品などの標準化やモジュール化が進み、必ずしも系列下という枠組みのなかだけで調達ネットワークが組まれているわけではありません。サプライヤーが複数のアセンブラーに部品・素材を供給するネットワークを構築する事例も増えています。

下請法の改正、強化により、親事業者は発注後に見積りや支払い代金の修正、発注直後の納品や納品まもなくの返品、あるいは発注前の納品などはできなくなっています。下請事業者の立場を守るための法整備です。それゆえ下請法により発注書を出さない口頭発注を控えて、当日発注当日納品についても避けるようになってきています。

そのような背景もあり、アセンブラーがリードするかたちで行われるJITではなく、サプライヤーが納期順守を念頭に行うVMI倉庫を起点とした在庫管理となることが増えているようです。VMIとは「顧客企業がベンダーと情報を共有することで、顧客企業の在庫補充の責任を持つ」という在庫管理方式で、パソコン、家電をはじめさまざまな業界で導入されています。なお、ここでいうベンダーとは部品企業などの組立工場へのサプライヤー（供給業者）のことを指します。サプライヤーとアセンブラーがVMI倉庫を起点に在庫情報、納期情報などを共有するのです。サプライヤーはVMI倉庫の在庫状況と納期を見定めて、生産計画を立て、タイムリーな補充体制を構築するのです。

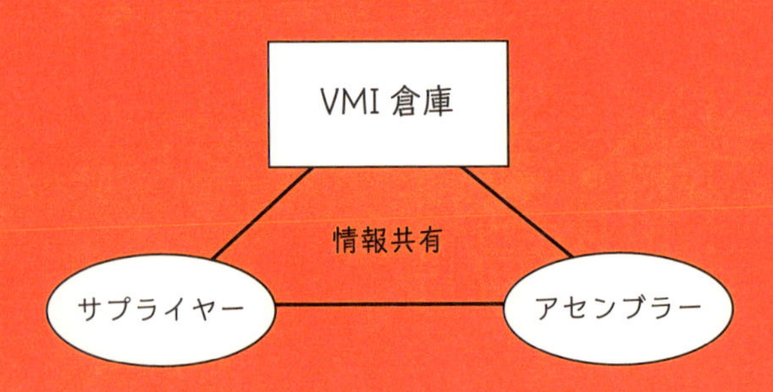

# 第6章

# 高度化する現代物流の潮流を把握

# 57 物流を中心にビジネスプロセスの最適化を実現！

## 企業活動の中核となるロジスティクスの展開

現代経営において、企業が売れ残りや欠品を防ぐためには緻密な在庫レベルの設定や補充計画の構築が必要です。そしてそれをふまえて、モノの流れが管理され、最適化が目指されるようになりました。それがロジスティクスの概念となっているのです。

モノの流れを戦略的に管理し、ビジネスプロセス全体の最適化に反映させるのが「ロジスティクス」というわけです。

言い換えれば、ロジスティクスとは、物流領域を中心に据えた企業最適化を意味します。モノの流れの負荷を軽減することで生産や販売の領域でも効率化や在庫量の削減などが図れるという発想です。

たとえば、大量調達、大量生産、大量輸送などを縦割り組織のもとに行えば、大量の過剰在庫が生じる危険性があります。そこで生産地から消費地までのモノの流れと保管とそれらの情報を巨視的、統括的、効率的に管理する必要性が出てきます。したがって、「モノがどのように流れ、どこでどれくらい保管されれば最適化されているといえるのか」ということを勘や経験だけではなく、理論や根拠に裏打ちされたかたちで実践していく必要もあります。

ちなみにロジスティクスとは、もともとは軍事における後方支援の考え方をビジネスの世界に持ち込んだ概念です。軍事における戦線拡大でどのように補給線を確保して、倉庫を配置していくかといった考え方です。ロジスティクスの考え方が広まる以前には「モノを運んだり、保管したりするのは、実際にそれを処理する段階になってから考えればいいことで、計画的に行うことではなく、後処理的に行えばいい」という考え方が大勢を占めていました。

しかし、戦略的な視点からロジスティクスを展開していくことで物流コストを削減したり、作業負荷の低減を実現できたりできることに多くの企業が注目するようになったのです。

**要点BOX**
- ●モノの流れを戦略的に管理するロジスティクス
- ●在庫レベルや入出荷量の適正化を達成
- ●全体最適の実現により企業体質を改善

## 在庫政策の落とし穴

部門主義による現場改善では在庫管理に困難をきたすリスクが出てくる

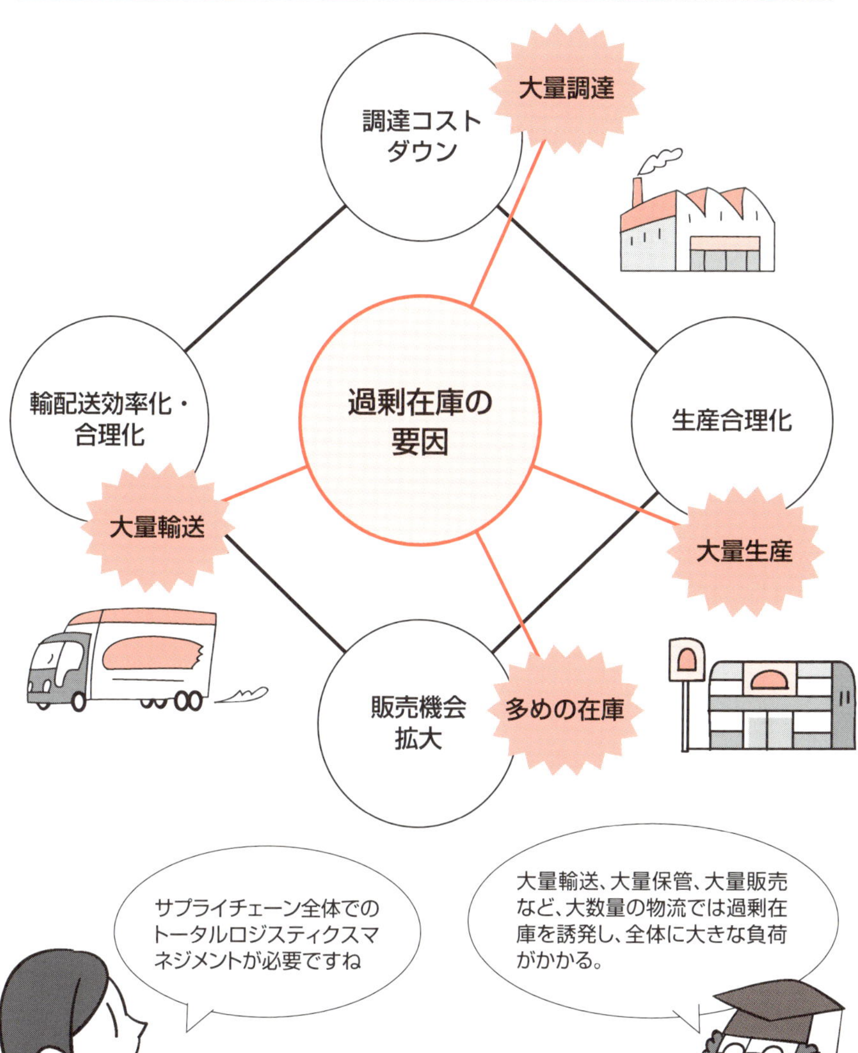

# 58 サプライチェーンの中核となる物流・ロジスティクス領域

## デジタルプラットフォームの構築で情報共有

SCMとは「在庫レベルの最適化などについて、情報共有を推進することで達成する経営手法」です。ただし、概念的な側面が強いため、SCMを構築するうえでの実働部隊はロジスティクス部門と考える向きも少なくありません。

「サプライチェーン」とは、ある製品の部品・資材などが調達されてから消費者にわたるまでの一連の流れのことをいいます。日本語でいえば「供給連鎖」です。メーカーは調達した原材料で商品を生産します。できあがった商品は卸売業、小売業などを経て、消費者の手元に届きます。その一連の流れをサプライチェーンと呼ぶのです。その一連の流れを情報で結び、総合的に管理（マネジメント）するのがSCMです。供給連鎖、すなわちサプライチェーン全体をまとめて管理することで、企業の競争力をこれまで以上に強くすることができます。

SCMという考え方が広まる前は、調達や生産などの個々の部門がそれぞれの情報を別の部門と交換することは一般的ではありませんでした。それぞれの部門がそれぞれのやり方で最適、最善を目指したのです。これを「部分最適」といいます。けれどもそれぞれの部門で最適を目指しても、全体として見ると、都合が悪いことが出てきます。部分にこだわると、全体のバランスが悪くなってしまうのです。

ところがSCMにより、こうした不都合は解消されます。SCMの構築で設計・開発から消費にいたるすべてのビジネスプロセスの統合が可能になります。企業のさまざまな情報も共有されます。その結果、ビジネスプロセス全体でのさまざまなムダが省かれ、「全体最適」が実現されるのです。

物流部門を中心に在庫情報や入出荷情報などを、サプライチェーン全体にまたがるデジタルプラットフォーム上などで共有し、綿密な需要予測のもとにモノの流れの戦略的な管理が行われるのです。

**要点BOX**

- ●サプライチェーン全体での見える化を推進
- ●需要予測の共同化で在庫の最適化を実現
- ●SCMとは、「拡大されたロジスティクス」

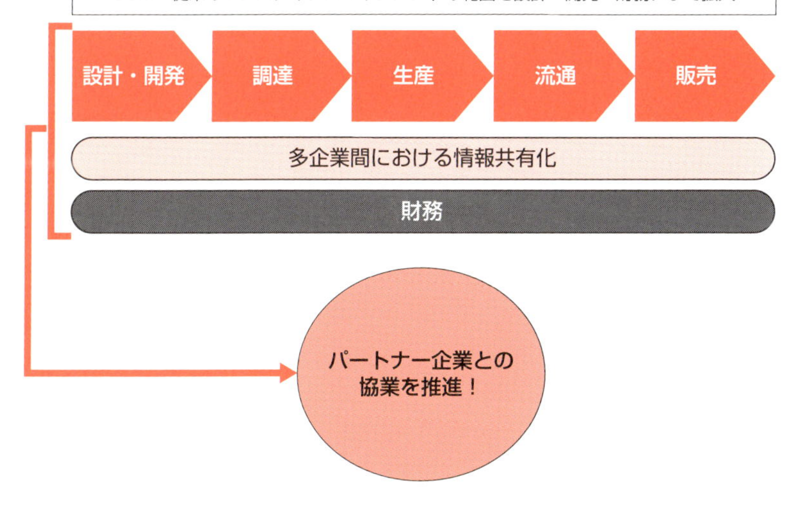
ＳＣＭの概略
SCM：従来のロジスティクスマネジメントの範囲を設計・開発・財務にまで拡大
設計・開発
調達
生産
流通
販売
多企業間における情報共有化
財務
パートナー企業との
協業を推進！



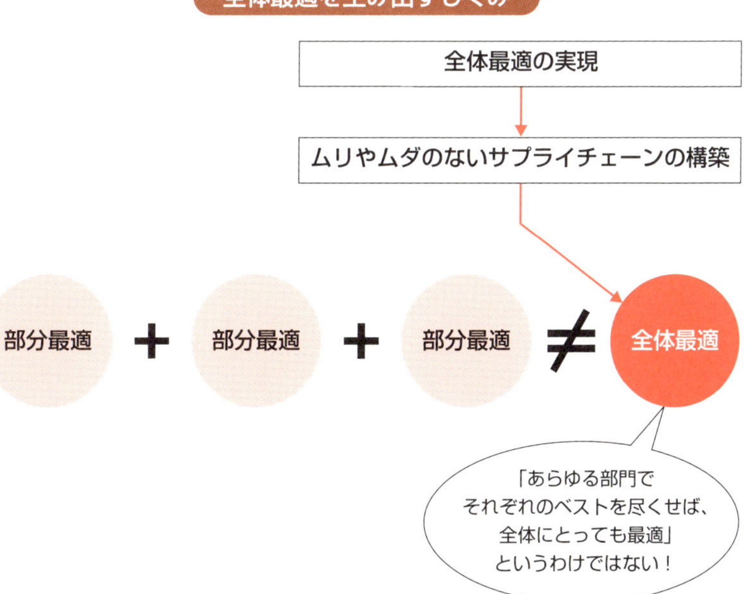
全体最適を生み出すしくみ
全体最適の実現
ムリやムダのないサプライチェーンの構築
部分最適
＋
部分最適
＋
部分最適
≠
全体最適
「あらゆる部門で
それぞれのベストを尽くせば、
全体にとっても最適」
というわけではない！

# 59 3PLの導入を戦略的に展開

## 提案依頼書を作成し、物流コンペを実施

3PL（サードパーティロジスティクス）とは、「荷主に対して物流改革を提案し、包括して物流業務を受託する業務」と定義されています。

3PL事業は、運送業系物流企業、倉庫業系物流企業、総合物流企業などにより行われることになります。荷主企業の物流特性により、いくつかの選択肢が考えられるのです。

ロジスティクスの高度化や物流DXの進展などにより、荷主企業が3PL事業者にアウトソースする事例は増加の一途をたどっています。

なお、3PLの展開にあたって、運営方針などについて、荷主企業と物流企業が定期会議を開催し、現状分析、現場改善の進ちょく状況のチェックなどを行うようにするのが一般的です。

また、3PLの導入に際しては、物流コンペが行われることが少なくありません。物流コンペとは、荷主企業が複数の物流企業に提案依頼書を作成し、コンペなどによる検討を行い、そのうえで3PLを導入するというものです。具体的な物流業務やロジスティクス戦略を委託して行われるようになってきました。

ちなみに3PL企業の選定はエリアごとに選考するパターンと、包括的に複数エリアあるいは全エリアの物流業務を委託するパターンの2通りが考えられます。エリアごとに選考するパターンは、特定の物流センターの運営や配送ネットワークの委託をするケースが多くなります。

それに対して、複数エリアの委託を行う場合には、物流拠点自体を見直すことになります。たとえば、複数の物流センターを集約して1カ所にまとめて大規模センターを新設したり、配送ネットワークのコンセプト自体を刷新したりすることで大幅な物流コストダウンを視野に入れるケースなどがこれに該当します。サプライチェーン全体の在庫政策なども策定することがあります。

**要点BOX**
- ●外部委託により物流コストを削減
- ●荷主に対して物流改革を提案
- ●物流拠点の見直しを検討

## ３ＰＬ導入の手順

荷主企業が複数の物流企業（3PL 企業）に提案依頼書を作成し、入札を行い、そのうえで3PL を導入するなど、具体的な物流業務・戦略を委託する

**物流コンペの実施** ← **提案依頼書**

複数回の審査ののち、委託物流企業を決定！

企業概要、取扱製品の詳細、物流業務委託の対象範囲、契約期間などについて3PL 企業に示す

## 国土交通省の３ＰＬガイドライン

荷主が対処・協力すべき主な項目

- 荷主の方針（物流目標、施策、拠点閉鎖・移転など）の物流事業者への提示
- 委託物品内容（商品、荷姿、届け先情報など）の物流事業者への提示
- 物流改善に関わる荷主側業務の改善の推進
- 物流事業者が当該業務を履行するために必要な荷主の記録およびその開示時期ならびに取得方法の提示

## 3PLビジネスの成功への課題

**3PL 成功の条件**

- 適度な業務の委託
- 適切な物流コスト削減プランとその遂行
- 情報共有の徹底
- イコールパートナーシップの構築

→ 3PL 導入の成功事例と失敗事例を徹底的に検証する

3PL 成功の鍵

# 60 物流KPIの活用で緻密な改善を実践

物流現場の現状を把握して数値化

物流現場の改善を進めるにあたって、目標となる数値の設定は欠かせません。これまで「どれくらいコストがかかるか」ということがベースになっていた現場が多いようでしたが、物流効率化を促進するための尺度として物流KPI（主要業績評価指数）を導入する企業が増えています。

「作業効率が改善されたとなんとなく感じる」といったことはあるかもしれませんが、それをだれもが客観的に理解できる尺度によって、物流改善の程度が把握できることが望ましいでしょう。

また、目標とするデータ、数値などがなければ、改善、効率化などを進めたとしても、達成目標レベルすら見えてきません。したがってロジスティクスの高度化、物流改善などを適切に進めるためには課題・問題点を定量的なデータで把握し、その数値改善を図っていく必要があります。

物流KPIの導入で客観的に自社の物流のレベルを把握できるのです。物流KPIを導入することによって、自社の物流コストや物流効率のレベルを同業他社と比較しながら行えるのです。理論値を念頭に現状値を分析したうえで、目標値を設定することで物流効率化のロードマップが明確化できます。

物流KPIは、物流活動の機能、領域、主体、製品などで区分し、設定することになります。現状で最もわかりやすく一般的な区分は、機能別の区分ということになるでしょう。すなわち、輸送、保管、荷役、流通加工、包装といった物流の5大機能を中心とした分類です。

また安全・品質、リードタイム、生産性などの管理項目をプロセス別に設定し、物流KPIを通して調達、輸配送、物流センター運営などのそれぞれのフィールドにおける達成度を診断することも可能です。物流現場の作業状況を数値化し、データ分析をすることで改善につなげていくのです。

要点BOX
- ●KPIの設定で改善の進ちょく度を可視化
- ●現状値を把握して理論値、目標値を設定
- ●目標とする指標を物流プロセス別に設定

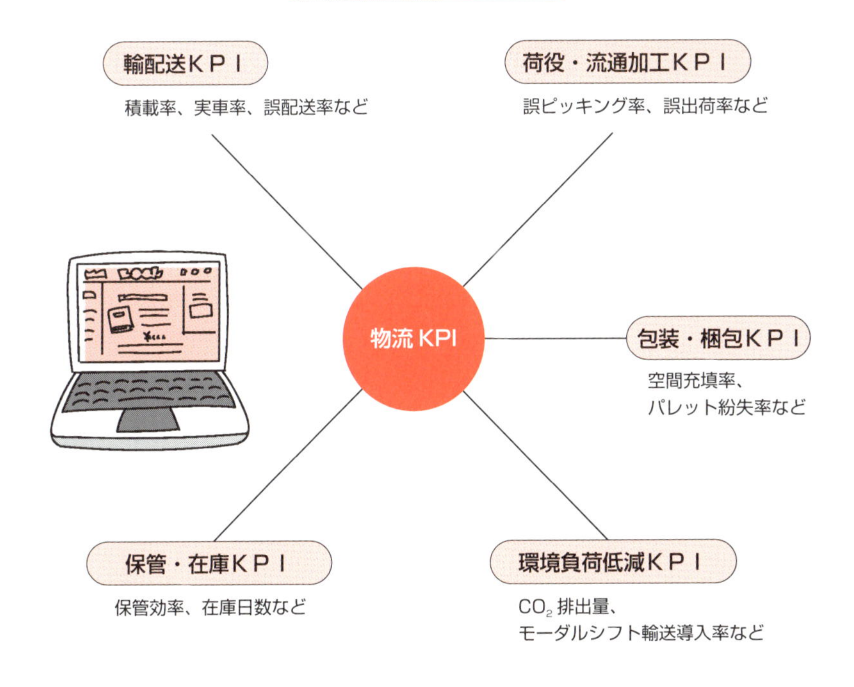




## 物流ＫＰＩの導入にあたっての留意点

①数値、データ分析に過度に振り回されないようにする
②必要なデータを判断し、的確な分析、検証、改善を心がける
③数値改善後もその維持、向上を目指す
④ロジスティクス戦略の構築と改善目標の明確な設定を前提に導入する

# 61 最適な立地を選定し、物流ネットワークを構築

## 24時間稼動できる物流センターが理想

物流センター、配送センターなどの立地は物流戦略を大きく左右する重要なポイントとなります。したがって慎重に決定されることになります。

港湾、幹線道路、鉄道などとのリンクがよく、配送先に近くなければなりません。さらにいえば用地を求めるにあたっては用途地域などにも注意する必要もあります。法規上の制限がある場合があるからです。なお、企業の物流センターは1カ所のみとは限りません。トラックドライバーの長時間勤務を避けるために、配送拠点を増やす傾向が出てきています。

物流センターの立地は調達地、配送拠点との関係から決定されることになります。リードタイムが短い商品を扱う場合には拠点間の距離は短くなります。反対にリードタイムが長い場合には物流拠点の数を少なくすることが可能になります。

将来的なトラックの自動運転や隊列走行の増加を念頭に、高速道路のインター至近のロケーションが注目され、災害に強い地域に物流センターを建設する動きも出てきています。

24時間稼動できるかどうかも大きなポイントです。近隣からの騒音などの苦情の出ないような環境にあるかをチェックする必要があります。また物流施設の周辺にトラックなどが待機できるかどうかもロケーションの決定の重要な条件となります。駐車場のレイアウトが十分に計算されているかどうかも重要です。

さらにいえば、物流拠点の集約化、共同化が進展しています。これまで以上に大規模な物流施設が求められる傾向が強まっています。1社で2万～5万㎡以上の施設を必要とするケースも増えています。

なお物流センターなどの理論上の最適立地は物流ネットワークのなかから、総トンキロの積が最小になる地点ということになります。また実務では距離だけではなく、トラック運賃をもとに立地を考えるケースもあります。

**要点BOX**
- ●増える高速インター至近のロケーションの建設
- ●物流拠点の集約化、共同化が進展
- ●トラックドライバーの負担軽減に配慮

## 物流センターの立地選定のためのチェックシート

| ロケーション |
| --- |
| (A)調達地・消費地に近い |
| (B)調達地・消費地にいずれかに近い |
| (C)調達地・消費地にどちらも遠い |
| **デザイン** |
| (A)デザイン・ヤード・作業環境が優れている |
| (B)デザイン・ヤード・作業環境が標準的と考えられる |
| (C)デザイン・ヤード・環境がかなり劣る |
| **賃料** |
| (A)賃料が相場よりも安い |
| (B)賃料が相場かそれに近い |
| (C)賃料が相場に合わない |
| **用途地域** |
| (A)工業専用地域 |
| (B)工業地域 |
| (C)準工業・近隣商業・無指定地域など |
| **周辺環境など** |
| (A)24時間稼動・待機場所・人員確保が優れている |
| (B)24時間稼動・待機場所・人員確保いずれかが優れている |
| (C)24時間稼動・待機場所・人員確保いずれもやや厳しい |

物流センター運営の高度化を推進！

# 62 物流DXネットワークによる情報基盤の整備を推進

物流領域における一連の作業プロセスの進捗状況などを可視化し、クラウドネイティブでのDX化が加速しています。

たとえばRPA（ロボティック・プロセス・オートメーション：「事前に決められた手順を自動化するしくみ」）を活用して、夜間、深夜などにも大量の伝票処理やデータ取得などを行わせている物流企業もあります。また、クラウド型のCRM（顧客管理システム）を活用して、トラックドライバーの複雑な労働管理、健康管理などを効率的に管理する企業も増えています。デジタルタコメーターと連動させて、労働時間や走行距離を管理できるようにするのです。

クラウド型のTMS（輸配送管理システム）や運行管理システムの導入により、各車両の予約状況を適切に管理し、あわせて配車計画も合理的な判断のもとに策定している事例も報告されています。「現在、どの車両がどのルートを通っていて、どこにあるのか」といったリアルタイムの位置情報も適切に把握できるようにします。情報システムの導入にあわせて、紙媒体で行っていた伝票・帳票や報告書などの処理をデジタル媒体に切り替え、モノの流れにかかる作業負荷を最小限に抑えていきます。

また物流DXの推進に際して、情報セキュリティの視点からのリスクマネジメントにも力を入れる必要があります。たとえばデータの改ざんや不適切な処理などから実在庫とコンピュータ在庫の間に乖離（かいり）が発生しないように、十分な注意と対策を講じる必要があります。データの流出や漏えいのリスクについても分析、検討しておく必要があります。

なお「何がなんでもDX」というのではなく、企業内でのDXに関わる理解度や許容度を念頭にアナログ部分を残し、「完全自動化ではなく、まずは部分的な自動化から始める」といったスモールスタートを意識することも大切です。

**要点BOX**

- ●スモールスタートで現場のデジタル化に着手
- ●リアルタイムの物流情報の可視化を実現
- ●データの流出、漏洩を十分に警戒

## 物流現場でのDXの導入の意義

- ●紙媒体からデジタルデータへの移行
- ●クラウド型物流デジタルプラットフォームの構築
- ●IoTデバイス、タブレット端末、PC端末などによる現場処理
- ●省人化、無人化の推進

データの改ざん・流出・漏えいなどのリスク管理

（例）

- ●実在庫とコンピュータ在庫の誤差の発生リスク
- ●誤発注、誤出荷、誤配送などの誘発リスク
- ●経営に関わる信用問題失墜リスク

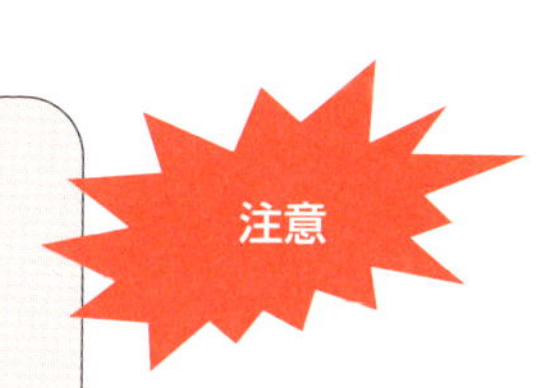




## 物流現場で導入の進むクラウド型ＤＸ（例）

| クラウド型DX | 概　要 |
|---|---|
| RPA | 物流では受発注業務などの事務処理関連での導入事例が多数報告されている。大量の単純作業の処理を継続的、かつ迅速に行うことが可能になる |
| CRM<br>（顧客管理システム） | 顧客管理のみならず、従業員管理などにも活用できることから多くの企業が導入を検討している。煩雑になりやすい紙媒体の管理からデジタル媒体の管理への移行を推進する |
| 運行管理システム | トラック車両について、デジタル媒体による適切な配車計画が可能になる。各車両の予約状況を適切に管理し、合理的な判断のもとに配車計画の策定が可能になる |

# 63 在庫削減を推進する現代物流

過剰在庫を徹底して回避

現代物流では「在庫は悪」という考え方が支配的です。いったい在庫を抱えることにはどのような問題点があるのでしょうか。整理してみましょう。

たしかに在庫には品切れ、欠品などを防止するという重要な役割があります。とくに営業・販売においては、欠品や品切れは顧客の信用を著しく損なう大きな要因となります。

しかし、流行の目まぐるしい商品や商品の進歩が日進月歩で進む業界では、多大な在庫は「死に筋商品の集合体」となりかねません。たとえば流行遅れになったスカートや旧式の家電やパソコンが大量に在庫として保有されていれば、企業にとっては大きな負担となってしまいます。こうした陳腐化した商品は廃棄する以外に対応策はなくなります。

商品のライフサイクルはますます短くなる傾向にあります。「人気商品だから」「よく売れるから」といった理由で大量生産しても、社会状況の変化や競合他社の新製品発売の影響で、突然、商品が陳腐化する危険もあります。そうなれば商品はまったく売れなくなってしまうかもしれません。無論、その結果、大量の過剰在庫を抱えることになります。

また、在庫を大量に抱えることは人件費や保管費などのコスト上昇を招くことにもなります。在庫の庫内運搬、物流容器の積み替えなどの作業や陳腐化した商品の廃却費も相当な額に達します。

在庫はさまざまな問題を隠してしまいます。たとえば在庫が過剰にあることで資金繰りが悪くなることもありますが、「これだけ在庫があれば大丈夫」といった安易な思惑で問題が先送りされるケースもあります。「在庫がこれだけあるから」という理由で新製品の開発が遅れたり、営業戦略が後手に回ったりすることもあるでしょう。在庫がまったくの悪というわけではないのですが、基本的には「在庫削減を推進する」というスタンスが望ましいわけです。

**要点BOX**
- ●在庫リスクの発生を懸念
- ●現代物流における「在庫は悪」
- ●可能な限り在庫を減らす方針の徹底

## 会計における「在庫」の考え方

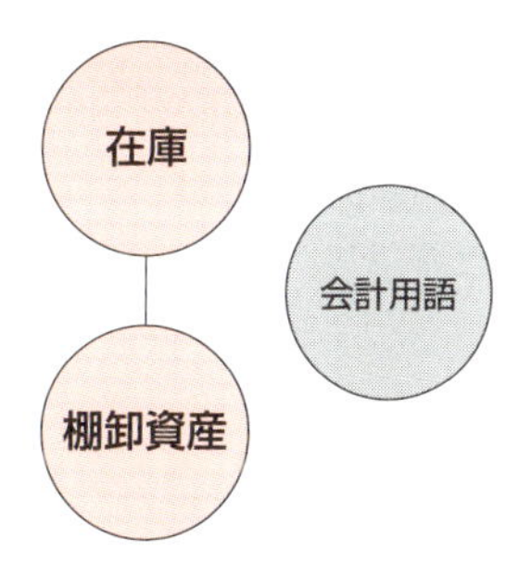


注意
- ●在庫が多ければ「好業績」と見なされることにも……
- ●仕入れた商品の在庫がいくらあっても売上原価に組み込めない

在庫管理をしっかり行うことが
経理面にも好影響を与えることになる！

# 64 ますます巨大化する物流施設のオペレーションの進化

## 倉庫内を自律的に走行する無人搬送機

物流センターは大型化の一途をたどっています。単なる保管施設ではなく、袋詰め、セット詰め、ラベル貼り、組立て、商品組み合わせなどの流通加工業務を行っており、それに携わる労働力が必要です。したがって超大型物流施設を開発、建設すると、確実な雇用創出が期待できることになります。

さらにいえば、超大型物流施設を開発する物流不動産開発企業は施設内の諸設備の充実にも熱心です。シャワー付き更衣室やラウンジ、売店、食堂、託児所など共用スペースを充実させている物流センターも少なくありません。駅から遠い場合にはシャトルバスを発着させることもあります。

近年は、超大型物流施設を中核に据えながら商業施設や娯楽施設などを整備する、「物流倉庫城下町」とも呼べるような複合開発を行うデベロッパーも増えています。将来的にはスマートシティに組み込まれ、インテリジェント化された交通体系のなかで自動運転トラックやロジスティクスドローンが入出荷、納品などに活用されていくことになります。

また庫内環境も完全自動化を視野に入れて、自律的に走行する無人フォークリフト（AGF）や無人搬送機（AGV）などを活用した庫内作業の最適化も進むことになります。大きな重量物の運搬、荷捌きなどの作業負荷を大幅に軽減することが可能になります。

ちなみに多くの物流不動産開発企業は、災害時における物流施設の利用について地方自治体と協定を結んでいます。物流施設の敷地内に地域貢献のための防災広場を設けたり、消防防災活動を行えるように平時から消防署・消防団などに施設を開放したり、救援物資の保管・輸送拠点として活用できるしくみ作りなども行ったりしてBCPへの対応を視野に入れています。災害時などの停電対策として、近隣住民も使用できる非常用発電機、トイレ、電話、食糧などを整備している事例もあります。

**要点BOX**

- ●施設の大型化によって雇用が創出される
- ●スマートシティと一体の「物流倉庫城下町」
- ●BCP対策における避難拠点としての活用

## 進む物流倉庫城下町への流れ

物流センターに商業施設や娯楽施設を併設する動き

**物流施設**

大型化・巨大化の傾向

●シャトルバスなどによる従業員の送迎
●施設内の諸設備（シャワー付き更衣室、
●食堂、託児所など共用スペース）の充実

●スマートシティとのリンク
●物流施設起点の地域活性化

流通加工業務に多大な労働力が必要⇒雇用拡大

●無人化・完全自動化の流れ
●物流DXとのリンク

コロナ禍の非対面、省人化、人手不足、DXの発達など

「物流倉庫城下町」の形成

超大型物流施設を中核に据えながら商業施設や娯楽施設などを整備する複合開発の進展

巨大化した物流施設は都市のランドマークにもなっている

# 65 フィジカルインターネット構想の実現を目指す動き

## 業界ごとの共同輸送インフラの構築を推進

「フィジカルインターネット」という概念は、エリック・バロー氏（パリ国立鉱業高等学校教授）、ブノア・モントルイユ氏（米ジョージア工科大学教授）などが提唱しました。端的にいうと、モノの流れをインターネットになぞらえた表現で、業界全体をまとめた共同物流を標準化された梱包形態で展開しようというものです。コンテナやパレットを物的パレットに見立てて、標準化された倉庫などの拠点と緻密な輸配送ルートを設定することで最適化を実現するものです。倉庫や輸配送ルートは共有し、共通のインフラとして広く開放します。

サプライチェーンにおけるDXや荷役作業の負担軽減化などを念頭に置いたパレット荷役のさらなる推進などを目指す流れのなかで、フィジカルインターネットは時流に合った発想ともいえます。

ただし、共通の物流基盤として、モーダルシフト輸送をさらに進めてインフラの共同化を図るシンクロモーダル（同期化）輸送を実現する方向性を打ち出します。巨大なハブ拠点やコンテナやパレットのグローバルスタンダードでの標準化、さらにはDXを念頭においたサプライチェーンの完全透明化などを実現する必要もあるのです。

実際、物流特性の異なる多種多様な貨物の荷姿を、基本的なモジュール（単位）のなかに落とし込むことが本当にできるのかを疑問視する声もあります。また、サプライチェーン全体の可視化やさらにその先の目標でもある「完全透明化」の実現にあたっては、レガシー化したシステムをいかにリニューアルしていくかといった課題もあります。フィジカルインターネット網を完全構築するための障壁は低くはないのです。したがって、まずは特定の産業から部分的な導入を始め、次第にその規模を拡大していくことになるでしょう。その流れのなかで本格導入への道も開けてくることになるはずです。

**要点BOX**
- ●モノの流れをインターネットになぞらえて構築
- ●梱包、荷姿の標準化で荷役効率を向上
- ●サプライチェーンの完全透明化を視野

## シンクロモーダル輸送とフィジカルインターネットのリンク

### モーダルシフト輸送

**持続可能な物流システムの構築**

荷姿は標準化されたコンテナなどで統一されることになる

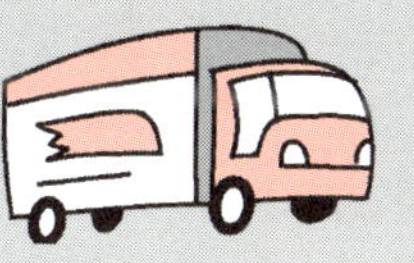

進化

### 3PLの導入

シンクロモーダル輸送

フィジカルインターネット

リンク

**【DXとの連動】**
オープンサプライチェーンネットワークの構築
IPハブネットワークの情報システムの統合
サプライチェーンフルトランスペアレント（完全透明化）など

サスティナブルも
意識した物流の
共同基盤の構築が必要

出典:Tomas Ambra, Syncromodal Transport and the Physical Internet, VUB, 2018 などを参考に作成

# 66 ホワイト物流の導入で労働負荷を軽減

少子高齢化時代に対応した次世代物流の方向性

トラックドライバーというと、長距離・長時間運転や荷積み、荷卸しの長時間労働など、労働環境の改善が課題視されてきました。しかし、トラックドライバーの労働環境の改善は、トラック運送会社などの物流企業の努力だけではどうしようもない点も多いといわれています。「トラックドライバーに無理はさせたくないが、荷主から緊急納品を要求されている」「必要以上の荷を積むことは道交法でも禁止されているが、荷主から頼まれると断れない」といったケースが少なからず出てきています。

トラックドライバー不足を解消するためには「トラックドライバーが日本の物流の中核を担う重要な仕事であり、誇りをもって仕事ができるような労働環境を構築する必要がある」といえます。

ただし、そのためには荷主企業や消費者の理解も不可欠なのです。そこでそうした現状への危機感から政府を中心に、荷主企業に運び方の改革を迫る「ホワイト物流」推進運動が始まりました。

ホワイト物流とは、物流課題に対応するため、荷主企業が物流事業者と協力して法令順守、改善・改革活動を実施し、持続可能な物流体制を構築するものです。国土交通省、経済産業省、農林水産省が推進しています。具体的な取り組みとしては、荷主企業がトラックドライバーに契約書で取り決められていない納品先での作業（庭先作業）などを強いたり、長時間の荷待ちや手待ちをさせたりしないような対策を講じるといったことなどがあげられます。まずは荷主企業の意識改革が求められることになります。

もちろん、物流現場の効率化、現代化も求められます。バラ積み貨物をパレット単位に切り替えればトラックへの積載にかかる時間も短縮できます。さらにフォークリフトの活用が図れることから、荷捌き時間の短縮も実現できます。結果としてドライバーの負担が大きく軽減されることになるのです。

**要点BOX**

- ●働き方改革に対応したドライバーの活用
- ●法令順守や改革への意識を高める取り組み
- ●荷待ち・手待ちなどでの労働環境の悪化を解消

## ホワイト物流の推進

**トラックドライバーなどの物流人材の確保**

ホワイト物流の推進

| 荷主企業の理解<br>（「ブラック荷主」を生まない環境の構築） | 物流DXの戦略的な導入・活用<br>（物流現場の作業負荷の軽減） |
|---|---|
| 荷主企業が物流事業者に過密運行や過積載を強要しない | 作業者に必要以上の負荷がかからないようにバラ積み貨物をパレット単位の荷扱いに転換したり、施設や設備を現代化する |

# 67 物流コストを可視化して削減

## 物流コストを機能別に分類

主要企業の売上高に対する物流コストは、取り扱う製品や業界により変わりますが、一般に5％程度ではないかといわれています。

物流コストを10％から5％に低減できれば、売上高1000億円の企業ならば、50億円のコスト削減が実現できます。

ただし、物流コストとは何かということを厳密に定義するのは簡単ではありません。いわゆるトラック運賃や物流センターの賃料などだけではなく、さまざまな経費のなかに物流コストが隠れていることがあります。たとえば、トラックが積み残した商品を営業部の人が気が付き、タクシーを飛ばして事業所に届けたとします。その場合、このタクシー代は営業費となるのか、それとも物流費となるのか、企業の判断によって異なります。

ちなみに、簿記には「物流」という勘定科目は存在しません。そのため物流コストは企業の業態、業種によって算出方法や項目が異なります。

1977年に旧運輸省は「物流コスト算定統一基準」を作成しました。これにより物流コストの定義、範囲、分類などが初めて明示されました。物流を機能別に分類しそのコストを算出するというものです。

1992年に旧通産省は、学識者や実務家の意見をふまえ、「物流コスト算定・活用マニュアル」を策定しました。同マニュアルでは物流サービスにかかるコストも把握できるようになっています。

またABC（活動原価計算：アクティビティ・ベースド・コスティング）を物流コスト計算に導入した「物流ABC」を用いて物流コストを割り出す方式もあります。原価計算方式では物流プロセスのなかに隠れている人件費、設備費などはわかりません。しかし物流ABCでは、ピッキング単価などが割り出せるとしています。設定した活動に要した処理量などをもとに活動の単価当たりの原価を計算します。

**要点BOX**

- ●物流サービスにかかるコストを把握
- ●物流コスト算出に向けた統一基準
- ●物流ABCで作業単価を算出

## 物流コスト体系の大枠

物流コスト

原材料、半商品、完成品、関連情報を生産地から消費地まで移動、保管させる際にかかる一連のコスト

### 動脈物流コスト

| ミクロの物流コスト | マクロの物流コスト |
| --- | --- |
| 荷主企業の物流コスト、物流企業の物流コスト、取引企業間の物流コストなど | 国全体での物流費、国際間の物流費など |

### 静脈物流コスト

返品・返送物流費、回収物流費、リサイクル物流費、廃棄物流費など

物流コスト算定には、物流ABCも有効とされている

Column

# コロナ禍以降の物流トレンド

コロナ禍の発生で物流を取り巻く環境は大きく変化しました。物流の視点からコロナ禍初期における荷動きを見ると、次のようになります。

まず、ロックダウンや緊急事態宣言を受けて、企業は非常事態に備えて調達、仕入れ量を増やしました。その結果、倉庫などに商品在庫が積み重ねられることになりました。しかし、それら商品はなかなか出荷されませんでした。小売店舗が休業、あるいは営業時間短縮で販売機会が限られてきたためです。

その結果、たとえば食品メーカーの出荷体制にも大きな変化が発生しました。これまで出荷量が大きかった飲食店向けへの出荷量が激減し、逆に一般家庭をターゲットとしているコンビニ、スーパーなどへの出荷が激増したのです。飲食店でアルコールが出せないとなると、「仕方がないからビールは家庭で飲もう」「オンライン飲み会しか交流の場がない」といった人たちが、つまみ類などを購入しはじめました。その結果、冷凍やきとりや枝豆などの商品の、スーパーへの出荷量が大きく増えました。これは、それまで飲食店向けに出荷していた商品が一般家庭向けの需要にシフトしたことによる荷動きの変化です。

また、フードデリバリーサービス業界は、市場規模をコロナ禍以前に比べて大きく伸ばしました。この傾向は日本だけではなく、米国、英国、中国なども同様です。

さらにいえばコロナ禍とそれに続くロシアのウクライナ侵攻などの影響で、国際物流も大きく変わりました。コロナ禍では各国のロックダウンが深刻な港湾労働者不足を引き起こし、世界中がコンテナ不足に陥りました。世界のコンテナの多くは中国製なので、その中国でのコンテナの製造が滞ってしまったことが大きな原因です。

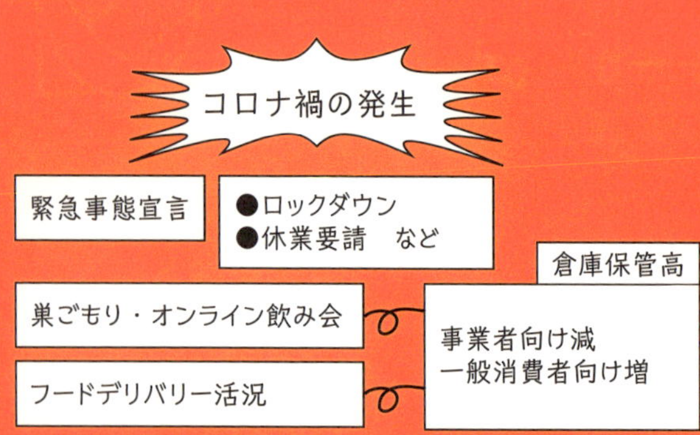

## 【参考文献】


『絵解き　すぐわかる産業廃棄物処理と静脈物流』、鈴木邦成著、日刊工業新聞社、2009年
『絵解き　すぐできる商品管理・物流管理』、遠藤八郎・鈴木邦成著、日刊工業新聞社、2008年
『絵解き　すぐできる物流コスト削減』、鈴木邦成著、日刊工業新聞社、2007年
『絵解き　すぐわかる物流のしくみ』、鈴木邦成著、日刊工業新聞社、2006年
『グリーンサプライチェーンの設計と構築』、鈴木邦成著、白桃書房、2010年
『小売・流通業が知らなきゃいけない物流の知識』、角井亮一著、商業界、2013年
『図解　国際物流のしくみと貿易の実務』、鈴木邦成著、日刊工業新聞社、2010年
『図解　すぐに役立つ物流の実務』、鈴木邦成著、日刊工業新聞社、2011年
『図解　物流効率化のしくみと実務』、鈴木邦成著、日刊工業新聞社、2012年
『最新物流ハンドブック』、日通総合研究所編、白桃書房、1991年
『新物流実務辞典』、産業調査会事典出版センター、2005年
『図解　物流センターのしくみと実務　第2版』、鈴木邦成著、日刊工業新聞社、2018年
『図解　物流のしくみ』、高橋昭博著、ナツメ社、1999年
『スマートサプライチェーンの設計と構築』、鈴木邦成・中村康久著、白桃書房、2022年
『トコトンやさしいSCMの本　第3版』、鈴木邦成著、日刊工業新聞社、2020年
『物流活動の会計と管理』、西澤脩著、白桃書房、2003年
『物流概論』、唐澤豊著、有斐閣、1989年
『物流DXネットワーク』、鈴木邦成・中村康久著、NTT出版、2021年
『物流のしくみ』、中田信哉・橋本雅隆著、日本実業出版社、2002年
『入門　物流（倉庫）作業の標準化』、鈴木邦成著、日刊工業新聞社、2020年
『入門　物流現場の平準化とカイゼン』、鈴木邦成著、日刊工業新聞社、2021年

## タ



## ナ



## ハ

サ

# 索引

## 数字・英字



## ア



## カ

●著者略歴

鈴木 邦成（すずき・くにのり）

物流エコノミスト、日本大学教授（物流・在庫管理などを担当）。一般社団法人日本SCM協会専務理事。一般社団法人日本ロジスティクスシステム学会理事。日本物流不動産学研究所アカデミックチェア。レンタルパレット大手のユーピーアールの社外監査役も務める。

主な著書に『トコトンやさしいSCMの本 第3版』『入門 物流現場の平準化とカイゼン』『入門 物流（倉庫）作業の標準化』『お金をかけずにすぐできる 事例に学ぶ物流現場改善』『物流センター＆倉庫管理業務者必携ポケットブック』『物流・トラック運送の実務に役立つ 運行管理者（貨物）必携ポケットブック』『トコトンやさしい小売・流通の本』『図解 物流センターのしくみと実務 第2版』（いずれも日刊工業新聞社）、『スマートサプライチェーンの設計と構築』（白桃書房）、『シン・物流革命』（幻冬舎）などがある。物流・ロジスティクス・SCM関連の学術論文、雑誌寄稿なども多数。

今日からモノ知りシリーズ
トコトンやさしい
物流の本 第2版

NDC 336

2015年 3月25日 初版1刷発行
2022年10月28日 第2版1刷発行

©著者 鈴木 邦成
発行者 井水 治博
発行所 日刊工業新聞社
東京都中央区日本橋小網町14-1
（郵便番号103-8548）
電話 書籍編集部 03(5644)7490
販売・管理部 03(5644)7410
FAX 03(5644)7400
振替口座 00190-2-186076
URL https://pub.nikkan.co.jp/
e-mail info@media.nikkan.co.jp
印刷・製本 新日本印刷（株）

● DESIGN STAFF
AD ―――――― 志岐滋行
表紙イラスト――― 黒崎 玄
本文イラスト――― 輪島正裕
ブック・デザイン― 大山陽子
（志岐デザイン事務所）

●
落丁・乱丁本はお取り替えいたします。
2022 Printed in Japan
ISBN 978-4-526-08233-7 C3034



●定価はカバーに表示してあります